U0152950

原 子 目 標

早上1分鐘，改變一整年！
斜槓獸醫的30天潛意識改造計畫

One minute in the morning, one small habit

柳韓彬（Ryu Hanbin）著

張亞薇 譯

‖ 推薦序 ‖

人人都能具體實踐的自我成長寶典

———— 愛瑞克（《內在成就》系列作者、TMBA 共同創辦人）

　　目前市場上探討自我成長相關的書籍，可概括分為兩大類：寫給社會菁英（或想躍升為菁英階層）的成功法，以及寫給平凡大眾都能實踐的自我提升法。此書屬於後者，不談人生大道理（或改變世界），而是從日常中看似微不足道的小事著手，從這些微小的改變來重新改造自己的人生。這樣的切入點以及做法，對於平凡而廣大的上班族（或自雇者、家庭主婦）來說，是阻力更小、可行性更高的一大福音！

　　我很喜歡書中所說：「我不是把能量用來堅持，而是把能量用來改變。只是調整能量的方向，日常生活卻發生了180 度的轉變。」很多時候，寫給社會菁英的成功法所設定的目標過於「高大上」，使得一般受薪階層產生距離感、甚至讀了會加速自我放棄（因為發現自己根本做不到）。此書沒有這種問題，作者以她個人生活中的實例談起，指導每一位讀者都能從日常中去具體實踐，因此，人人都可以上手！

　　本書介紹了三十個早上一起床就可以輕鬆做到的小目標（平均只需要花一分鐘），一個周期為期一個月，周而復始來練習，一步一步微小的改變，累積一段時間之後，就會看到自己從原點已經移動了很遠很遠。其中有好幾項，恰好也是我個人常用的方法，讀來很有共鳴！例如「起床之後，坐著冥想一分鐘」，以及對發生在我們生活中的不如意事，用「這很正常」來看待、「在紙上寫下一個好句子」、「花一分鐘眺望遠處的群山」，其中有些已經是我持續了十幾、二十幾年的好習慣。

　　別小看達成這些微小目標所累積的複利效應。例如「在紙上寫下一個好句子」，就是我目前創作（無論出書、或者在社群媒體上撰寫文章）的利器之一，平常所累積的美言佳句（或稱為「金句」），會蒐集在一個檔案中，每隔一段時間翻閱，往往可以成為一篇文章畫龍點睛、可看性提高的關鍵。又如對於發生在我們生活中的不如意事，用「這很正常」來看待，這幾十年來已經讓我養成「不為壞事抓狂」的清淨心，甚至總能在任何壞事發生後，很快找出背後隱藏的好事，所以壞事也就不壞了。

　　這是一本人人都適用、簡單容易上手的自我成長寶典。很值得廣大讀者閱讀，並且在每一天日常中加以運用、實踐！

CONTENTS 目錄

‖ 前言 ‖

晨間一分鐘，打造獨屬於你的原子目標

今年初，我獨自去印尼知名的峇里島旅行，也去了它旁邊的德拉娜安島（Gili Trawangan）。這座小島禁止車輛通行，只能騎乘自行車或是步行。待在小島的時候，我白天會跑去游泳、潛水、挑幾家不錯的餐廳吃飯，玩個盡興，然後在傍晚時分跑到島的西側去晃晃。不只是我，島上多數人都會在下午騎著腳踏車紛紛湧向這一區，那種盛況簡直就像人類的黃金周假期大遷徙。

人群聚集在島嶼西邊做什麼呢？大家會不約而同一起望向地平線，在那一刻屏氣凝神的看著夕陽落下。那是無法用照片捕捉，也無法用言語形容的壯闊景象。每個人會不自覺停下所有的動作，沒有人說話，就只是入迷的凝視著夕陽。而就在那一刻，我有了這樣的想法：

「我光是看著夕陽落下就很滿足……但是我的生活怎麼會過得這麼心累？」

假期結束之後，我一回到首爾就被工作轟炸，彷彿是休假後的「報復性工作」。我當時心想，「天啊！該不會附近所有的重症案例都跑來這裡了吧？」我對這些可憐的毛小孩進行了三次心肺復甦術，但最後還是沒能救回來，主人的尖聲哭泣彷彿撕裂了診間……我沒有絲毫餘裕回味旅程的美好，就被現實殘酷的打擊。我懷著沉重的心情送走牠們，一連鬱悶了好幾天。

經歷了如同打仗般的上班日，終於迎來了周末，我感覺有氣無力，睡到中午還沒辦法起床。我心想，總不能這樣躺一整天吧！於是勉強自己掙扎起床，打開窗戶，讓外面的空氣透進來。窗外的空氣讓我變得清醒，是不是應該出去呼吸一下新鮮空氣？思考片刻之後，我決定穿上拖鞋，走到了家門前的公園。陽光真好！我看見一隻白色的蝴蝶飛到我面前，突然間，我的眼裡湧出了淚水。這一刻的幸福感，絲毫不亞於我在印尼看到日落的那一刻。

生活中的壓力、迷惘、痛苦，總是無預警來襲，讓你猝不及防，不知不覺陷入內耗，過得渾渾噩噩、有如行屍走肉。

我花了三年的時間寫這本書，期間經歷了許多難關。當

我開始提筆時，正在一所大學擔任全職教授，然而幾經周折，我重新找回了夢想，轉職到一家獸醫院。對我而言，穩定的職位很無趣，而追尋夢想之路則充滿焦慮。正是在那些日子裡，我重新領悟了一個道理：世界上沒有什麼工作是既可以帶來無窮樂趣，又毫無挑戰難度，焦慮永遠難以避免。

　　之所以花了這麼長的時間才完成這本書，是因為這幾年我在寫作的同時，也與自己所面臨的困境天人交戰，但也正因如此，我的一字一句更貼近真實內心，並期待也能讓你產生悸動。

　　我想跟大家分享，如何在日復一日看似永無止境的辛苦日常中，保持平靜的心態並且找到屬於自己的幸福感。

　　有些人認為，如果透過冥想頓悟了一些什麼，就能消解生活中的痛苦，我也是如此，但實際上，人只要活著，帶來痛苦的事情（或內心的不平衡）永遠不會消失，再怎麼積極運動並保持健康飲食，不代表就不會生病。

幸福不是你所尋求的東西，而是你發現的東西

　　在寫作的過程中，我從我自己寫下的文字裡得到慰藉。當我修改並反覆閱讀自己寫下的句子時，一方面，我毫無保

留的將自己的心魔或困境寫進這本書；另一方面，我也把「如何靠自己創造快樂」的經驗寫下來，而不是把一切歸功於運氣或外在環境。

對我而言，最重要的事，不是締造多麼遠大的目標，而是打造並享受日常生活中的每一個小確幸，所以我更在乎如何發掘它們。

我在印尼看到的夕陽是我人生中最美好的經歷，但是我不能把「快樂」只留在那裡。如果「快樂」遠在需要搭機飛行七個多小時才能到達的地方，那麼我大概一年只能快樂一次。同理，如果你認為必須很有錢才能快樂、必須遇見真愛才能快樂，或者變得很有名氣才能快樂，那麼你可能很難得到滿足。我認為，在你的臥室裡、從蓮蓬頭噴灑出的水流裡、從映照在你臉頰的陽光裡，以及朋友臉上露出的微笑裡，都可以發現快樂的身影。

這本書包括三十個實踐起來非常輕鬆的小習慣，全部都是我親身體驗過的方法，我的建議是每天挑一個，當作啟動一天的「原子目標」，持續一個月，這些小事能創造超乎想像的滿足感。就猶如印尼的夕陽曾帶給我心靈的震撼，相信這些晨間一分鐘的啟動儀式，也可以帶給你煥然一新的感受。

「為什麼我的日子這麼難過？」
讓身心煥然一新的方式不必遠求，
這三十件事，
都可以在早上起床後很快做到。

利用早上睜眼後的第一時間，
潛意識會在你不知情的情況下影響你一天，
不費力不辛苦，
就能創造一個更有活力和積極的自我。

第 1 天

對自己說出：
「最想聽到媽媽對我說的話」

什麼事情可操之在己？

「什麼是快樂？什麼是不快樂？」

這個問題很有趣。我們表達「快樂」，通常都是兩三句話就帶過，但對於「不快樂」，往往會鑽牛角尖，巴拉巴拉跟著抱怨一大串。我們可能很難說清楚「什麼是快樂」，但另一方面卻能夠明確指出「哪些會讓我不快樂」。就像十四世紀義大利詩人但丁的《神曲》，其中描繪煉獄的細節非常

具體，但提到天堂就顯得非常抽象和粗略。我想，大概是因為對很多人來說，「幸福」是很難具體化或細節化的感受吧！

想想看，如果有一個你最討厭的人走過來，你心裡會怎麼對待他？是不是一直詛咒對方、巴不得他倒大楣？至少，你會想離對方越遠越好吧！接著，轉念一下，換一個對象，假想眼前是你最愛的人，你要如何讓他（她）幸福而滿足呢？我發現，一被問到這個問題，許多人都不太有把握，很難肯定的回答：「我知道該怎麼做！」

同樣的道理，我們想要快樂，第一步是不做不快樂的事，這會比「刻意去製造快樂」來得更容易；「避免不開心」比「想辦法開心」更簡單。

那麼回到根本的問題：有哪些事情容易導致我們不快樂？我可以明確的回答，那就是：**當你試圖掌控外在的環境。**

例如「希望我現在手上進行的業務如有神助」、「拜託拜託！明天千萬不要下雨」之類的念頭，也就是我們一直在心裡許願，但實際上卻無能為力的事情。特別是，當你想要控制別人的思想、想改變對方，「真希望那個人能對我更好」、「神啊！讓所有人都喜歡我、肯定我和幫助我」……這些事我們自己能做的有限，對方的回應是無法掌握的變數，因為我們不可能控制別人的思想。但「所求不得」會帶來痛

苦，當你歷經一次次的失望，要開心都難。既然如此，只要對別人無所求，就能夠脫離多數痛苦，但是為什麼我們做不到呢？

原因在於我們是群居性動物。人類天生需要從社會和群體中獲取安全感，人類社會的運作是聚則生、散則滅，當我們被討厭、被拋棄、不被社會接受時，無論是誰都會感受到巨大的恐懼。而負面情緒對人的衝擊往往大於正面情緒——當我們極度渴望「想要有人認同我」，期待越高，越是令人忐忑不安，就算最後獲得認同了，心中總算放下一塊大石，喜悅的感受也難以抵消一開始的焦慮。

把你的期待，具體說出來

另一個窘境是，我們希望得到他人的認同和尊重，卻不懂得表達想要如何被對待，最後只能含糊其詞的說：「真希望他（她）對我好一點。」就像前面說的，我們未必知道「什麼是快樂」，但很確定「什麼是不快樂」；我們往往不太明說「想要別人怎麼對我」，但很明確知道「不希望別人對我做哪些事情」，像是「講話可以不要這麼沒禮貌嗎？」或「不要為了雞毛蒜皮的小事唸個不停」。

　　所以，無論你想要什麼、不想要什麼，都要好好說出口！你期待別人怎麼對待自己，希望父母、伴侶、朋友或甚至孩子……要怎麼對你說話，都要認真告訴對方，因為世界上沒有任何人比你更了解自己，就算是深愛你的伴侶也無法。

　　如果老是自己腦補：「如果他愛我，應該就要懂我啊！怎麼沒有照我想的去做呢？」光是空想卻缺乏溝通，雙方的認知沒有「對齊」，自然容易以失望和沮喪收場。更糟的是，問題會不斷重演，越是在意的人越容易帶給自己挫折，很親近的家人（特別是父母或子女），造成的挫折往往更大，可能讓你一輩子不斷陷入「期待－挫折－期待－失望」的內耗輪迴。

　　失望的源頭，來自於雙方沒有交集的期待，因此我們要能對自己的「期待」負責，先做自己能做的。

　　現在，請試試看我這個非常簡單又直接的方法：來角色扮演一下，對自己說出**「我想從媽媽那裡聽到哪幾句話」**。

母親的期望，曾讓我更焦慮！

　　以我為例，我花很多時間做自己喜歡的事情，雖然樂在其中，但有時也會感到焦慮和自我懷疑。焦慮的原因包括：「我是不是不能吃苦，以至於沒辦法固定的做同一份工作？」

「朋友說研究所的課業很繁重，不過人家還是堅持讀到畢業，反觀我呢，一點毅力都沒有，只想花時間在喜歡的事情上。」

「過這樣的生活，老了以後會不會後悔啊？」

某天，我被這些自我懷疑的念頭壓得喘不過氣，唉聲嘆氣，連續好幾天什麼事都做不了，最後我向我媽訴苦：「媽，我好焦慮，我覺得我是唯一一個一直在退步的人。」

我媽媽當下不加思索的回答：「所以我早就說嘛，妳就像其他人一樣，找個普通穩定的工作不就行了嗎？妳條件好、頭腦聰明，為什麼偏偏要挑不賺錢的工作？」

聽完這番話，更加深了我的自我懷疑。

「唉，我幹嘛要跟媽講這種事，我到底在期待什麼？我真笨……」結果雪上加霜，我陷入更深的焦慮和難過之中。後來，我找了另一個傾訴對象，我向一個經常給我正面鼓勵的朋友說出了自己的焦慮。他的回答是另一種風格：「嘿，妳已經夠好了，還想要怎麼樣啊？比妳差的人很多，不要繼續糾結、不必杞人憂天啦！」

然而，這番話對我也沒有用，光叫我不用擔心，並不能真的使我停止擔心。

之後我又痛苦了好幾天，直到我在 YouTube 上看到一堂講座。講師用很堅定的語氣說：「世界上沒有人比你自己更

了解你的心，不管對方多麼愛你都一樣。**不要指望別人會像你一樣了解你自己。**」聽完之後，我想了想，「我為什麼會四處尋找傾訴的對象？我真正想聽到的是什麼？我到底希望別人跟我說什麼？」好吧！我決定讓自己來回答自己。因為我需要的是情感上的支持，而不是勵志的雞湯。

列出「我希望媽媽對我說的話」小清單

首先，我開始對自己說：「沒錯，妳現在很焦慮，但這很正常，甚至於再焦慮一點也沒關係。」接著我問自己，我究竟想要的是什麼。

「先不管這些煩惱，想想妳真正想要做的是什麼？」

我不斷重複這個思考過程，接納自己的情緒，同時一次又一次捫心自問：「我的優先順序是什麼？我要的是什麼？」奇妙的是，雖然一開始還是焦慮，但心情慢慢出現了變化，並不是焦慮消失了，而是我找到了面對焦慮的勇氣。我所得到的並不是戰勝焦慮、獲得勝利，而是如何與焦慮共存，同時又能快樂的方法：我找到了世界上最支持我、最了解我心情的人——不是母親、不是好友、不是其他任何人，而是「我自己」。

現在就開始回想，你希望父母對你說出哪些話，並一一

寫在紙上，放在床邊，早上起床一睜開眼，就把這些「最希望從母親那邊聽到的話語」，大聲唸出來、對著自己說一遍，用這個簡單儀式來開始全新的一天。

會有什麼效果呢？真的很神奇，這能讓我厭世的心情慢慢柔軟融化，而且無論是多麼稀鬆平常的句子都有效。

怎麼判斷「有毒的假正向」？

上述這個方法很簡單，但有一些需要注意的部分。

第一，自我對話時，請接納自己的感受，無論它們多麼幼稚。雖然我們的大腦已經成熟了，但情緒仍和小時候一樣稚嫩，這種幼稚的情緒只是被「社會化」的外殼掩蓋了，你可能會因此而覺得丟臉（對於男生來說更是如此），但這些不好意思告訴別人的話語，可以透過與自己的對話直達內心，也能進一步獲得慰藉。「對自己說話」是一個非常必要的過程。

第二，別著急，不要直接否定你所感受到的負面情緒。舉例來說，假設你閃過這樣的念頭：「有錢真好！我好窮唷，看看那些含著金湯匙出生的人，真令人有點不是滋味。」

這時，有些人會馬上自我安慰：「還好啦！我的薪水

已經夠用了！知足常樂嘛，至少我沒有欠債，幹嘛羨慕別人。」這種轉念乍看之下充滿正能量，但卻刻意忽略、或壓抑了自己最真實的心底感受。請誠實的想想看，沒錢真的能隨心所欲過日子嗎？羨慕也好、焦慮也好，沒有必要壓抑自己的原始感受、強迫自己正向思考，那只是編織更多謊言去掩蓋焦慮。

過於刻意的轉向思考，並不是真正有幫助的正向思考。我們往往會犯一種錯誤：為了消除負面情緒，用力扭轉心態去正面解讀，卻是類似自欺欺人的「麻醉劑」。那麼要怎麼分辨是真心話，還是自我麻痺？

很簡單，只要假設：「**如果這些安慰的話語出自別人口中，你聽起來感覺如何？你真的有得到慰藉嗎？**」我想你很快就有答案。

想像一下，你對父母抱怨：「媽，我沒有錢，我好難過喔……」如果父母回答：「還好啦！你賺的錢還 OK 啊，至少沒欠卡債嘛！」你有真的獲得慰藉嗎？還是覺得他們只是隨口說說安慰你？不妨仔細想想，你真正想聽到的是什麼？

如果是我，我真正想聽到的是，能夠包容我內心深處的不安或自卑，接納我那種害怕變成魯蛇的匱乏感和挫敗感。

當一個孩子因為小事而哭泣時，別用訓斥（或敷衍）的

口吻對他說：「這點小事有什麼好哭的？別哭了。」而是試著這樣說：「我知道你很難過，盡量哭沒關係。」後者的幫助顯然更有力量。

　　同樣的道理，我們既然無法控制他人（甚至是父母）會怎麼說，我們就把自己想像成「我是我媽媽」，在今天早晨，把自己當成是一個會好好對孩子說話、能接納孩子各種焦慮的父母──「你，就是你自己的孩子」，盡情的對自己說吧！

Day 1 今天的一分鐘原子目標

第一步

仔細思考看看，你最希望父母對你說什麼話。

第二步

將這些話寫在紙上，然後放在你的臥室裡。

第三步

早晨醒來的第一件事，就是花一分鐘對著自己大聲
唸出這些話，感受到被理解，再開啟這一天。

起床之後，
坐著冥想一分鐘

洗碗就是洗碗，看書就是看書

　　提到「冥想」，你會想到什麼呢？是否會聯想到瀑布下
或深山的草庵裡，有個像道士一樣的人，閉著眼睛、盤腿而
坐？還是更現代化一點，身穿瑜珈服，坐在瑜珈墊上的樣子？

　　不安的人、茫然的人、需要冷靜的人……有許多為內
心所困的人可能都會想嘗試冥想，或其實已經透過冥想來舒
緩心情。的確，冥想是可釐清思路的經典方法之一，也因為

媒體報導、社群風潮推動，近年來更流行所謂的「正念冥想（Mindfulness Meditation）」，據說不少成功企業家和藝人都有每天冥想的習慣，他們說冥想會讓身心更放鬆。

看起來冥想是好習慣，但是要如何開始呢？

我其實不喜歡人多又嘈雜的地方，光是在喧鬧的街上待個五分鐘，我就覺得腦袋亂糟糟的，我無法想像我這種「i型人」會去夜店或派對這種人多的地方。但就在某一天，我意識到世界上最複雜、最紊亂的地方其實不是任何外在環境，而是在我的腦海中。

我的思緒有多混亂呢？舉例來說，我以前超級健忘，經常忘記手邊正在做的事情，像是洗碗洗到一半，突然把沾滿泡沫的碗筷丟下、轉身走開去做另一件事，彷彿被附身一樣，甚至於到了晚上快上床睡覺的時候，如果沒有正好走到廚房，我會一直忘記那堆還沒洗完的碗。

又或者，當我工作到一半，如果突然想起有一本之前很想讀的書，就會登入圖書館網站查詢，查著、查著，結果就忘記剛剛在做什麼工作。又或者，有時我會深深陷入幻想的漩渦，想像自己中了樂透之後要做些什麼，要不要買間昂貴公寓、該怎麼裝潢才好……然後搞半天什麼事都沒做完。

這一切都是因為我的腦袋太亂了。洗碗時只好好想著洗

碗、打掃時只要想著打掃，對於一個思緒煩亂的人來說，連這麼簡單的事情都辦不到。

而且，為什麼吃多少營養補充品還是感到疲倦？

如果你和我一樣，發現自己的專注力不佳，無法長時間專注在某件事情上的話，請觀察自己是否容易想太多。

當我接觸冥想之後，才領悟到這一點。明明一整天沒什麼特別需要忙的事，卻老是感到很疲憊，原因就是思緒一直在混亂中打轉，腦袋嗡嗡作響、不得安寧，吃飯時想著工作，工作時想著周末約會要穿什麼。腦中的想法，總是不斷湧現又突然消失，一再重複。

我們總是耗費大量的時間後悔過去、擔心未來而不自知。

開始冥想之後，我意識到自己想得太多太雜，經過練習後，我可以清楚覺察自己到底在想些什麼東西。我們的腦海裡經常佈滿無用的地雷，而我們就在不知不覺中將自己的能量消耗在這些地雷上。這些地雷是什麼？它們的本質就是那些誤導你的「信念」。

「無論如何你都必須完美的完成工作。」

「你必須永遠對人保持客氣友善。」

「你不能把錢浪費在無用的東西上。」

「你不能浪費任何時間。」

這些都是信念。每個人都有深植於心的原則，但無論是好是壞，它們都會消耗心靈的能量，當某件事超過負荷、觸動開關，原本你信守的那些準則就會變成地雷被引爆，炸裂我們的情緒。這種自我拉扯非常痛苦，以至於我們得花越來越多的力氣來避開這些地雷。

想像一下，有個人身上有一顆「無論如何必須完美完成工作」的地雷，這人平常超級努力，盡其所能確保所有工作都完美達標，下了班也沒有停止思考工作上的事，不斷回想有沒有哪裡出錯，或擔心起隔天的待辦事項，萬一接到同事電話，他更會自我懷疑是不是出了什麼紕漏。但是他總認為其他人做事不如他細心，當別人出錯，他會在心裡（或公開）斥責對方。這樣的人，以完美主義為人生信念，以身為工作狂為榮，對自己也懷抱著一種微妙的優越感。

如果工作一直照著計畫走，平時看不出問題，然而一旦被指派超乎能力的艱巨任務，他會比其他人的壓力更大，因為他太習慣把精力用在所有小事上，即使外表看起來依然精明幹練，但其實內心早已疲憊不堪，就算周末休假或吃再多營養品，也難以療癒他的慢性疲勞。他一直拚命躲避「事情做得不完美」的地雷，有一天卻被引爆了。

躲地雷不如拆地雷

逃避是很辛苦的事，畢竟生活中有太多如影隨形的壓力，我們不妨改個方式：躲地雷不如拆地雷。冥想，正是能一點一滴拆除地雷的好方法。

造成煩惱的原因之一，是我們很容易**因無關緊要的事情分心**。練習冥想，你將能夠清楚區分什麼是優先的、什麼是次要的，你也會意識到，原本以為那些重要的事情，其實沒那麼重要。

我在開始動筆寫作之前，也會先進行冥想。當我想寫一些東西，總會同時間湧現太多的想法，思緒之混雜令我非常困擾。我的恐懼感來自於，我認為必須寫出完美無缺的作品，這本書一出版就會伴隨我一輩子；我的焦慮是因為，我不是樣樣精通的人，不懂的事還很多，我真的有資格寫書嗎？大家想讀到的，和我想寫的，會有交集嗎？

我腦袋裡裝的地雷簡直多到無法一一列舉，而且在我的潛意識裡還有更多莫名的擔憂，這些煩惱阻礙了我寫作的進度，讓我必須耗費更多的精力才能寫出一字一句。

當你和我一樣，想法太過紊亂，無法專注在一件事情上，冥想就是能夠幫助自己過濾其他雜事的方法，可以收束思緒，

較不會分神。當然,我腦子裡依然存在著一些地雷,有時候還是會爆炸,讓我暴躁又焦慮,但養成冥想的習慣之後,我學著以一種比較平緩的速度,一點點持續前進。我最大的改變是,我懂得為自己的生活安排順序了,這讓我不再動不動就因為那些「全部看起來很重要」的事而抱怨,我不再因為做不好、做不到某些事而焦躁不安。

清空你的心,快樂才能有進入的空間。

坐起來,先用一分鐘打開所有感官

今天早晨醒來後,先別急著下床,**請先坐起來,感覺你所有的感官,視覺、聽覺、嗅覺或觸覺都可以。**

即使閉上眼睛,仍然可以感受得到視覺。有時你會看見稍微偏亮或偏深一點的顏色,有時也可以看見白色和紅色。試著去感受自己坐的地方是軟是硬,並且注意身上有沒有哪裡感覺很僵硬。試著傾聽屋外傳來的鳥叫聲,或是摩托車駛過的聲音,同時聞聞看你身上的衣服氣味。

專注於身體感官的冥想,可以將我們的思緒和當下連結起來,而不是思考過去或未來。

一旦習慣了這種簡短的冥想,你就可以**隨時隨地**進行。

吃東西時，全神貫注於咀嚼的口感、味道、溫度和顏色；停好車，在下車之前先暫時閉上眼睛，深呼吸、專注於你身體和心中的感受；午飯後回到座位，在開始投入工作之前，先閉上眼睛片刻，把所有感覺放在當下。

這些都是冥想的過程。「**專注於當下，此時此刻**」的短時間冥想，越頻繁越好，它與每天進行三十分鐘、一小時或二小時的坐禪冥想（盤腿打坐的冥想）一樣有效。

有位僧侶在他的居所養了一隻野雞，牠每隔一段時間就會扯著嗓子發出「咕、咕」的叫聲，有時間隔一分鐘，有時間隔二十分鐘……後來，僧侶決定聽到野雞的叫聲，就停下手頭的事情，專注冥想，他找到了適合他的啟動方式。

像這位僧侶一樣，在日常生活中善用一些小時間，並且把全部心神灌注於此時此刻，平穩呼吸，讓感官告訴你各種線索，身心會漸漸趨於定靜、安適。

Day 2 今天的一分鐘原子目標

第一步

早晨醒來之後，坐起來閉上眼睛。

第二步

將所有感官集中在此時身體所感受到的視覺、聽覺、嗅覺和觸覺上，至少持續一分鐘。

第三步

一旦你習慣了一分鐘的冥想，就逐漸增加時間。除了早晨，在日常生活中的任何時刻，你都可以練習冥想、專注當下。

關於冥想時的重點

① 不要期待特定的結果

冥想能讓你漸漸放下那些「什麼都太重要」的想法，但是當你想獲得某個特定的結果，冥想本身有時也會變成另一種自我要求的壓力。在一些冥想團體中會存有競爭心態，比如「我要比那個人領悟得更快、我要比其他人更快進階冥想」，這樣一來就偏離了冥想的初衷。

也有人認為，既然全世界的名人都喜歡冥想，我跟隨風潮就能夠找到成功的方向，甚至出現諸如「吸引金錢的冥想祕訣」、「讓願望成真的冥想技巧」之類的噱頭。「想要賺很多錢，所以拚命尋求賺錢的方法」，與「想要賺很多錢而沉迷於冥想」，兩者是一樣的。這種冥想反而無法達到真正的效果，請你謹記，越習慣於無特定所求的冥想，你的思緒就越放鬆，這才是正確的方向。

② 不要指望快速、巨大的變化

「不是聽說冥想能讓人變得放鬆嗎？不是說冥想能讓人更懂得控制思緒？但是，我已經冥想一個月甚至一年了，為何什麼都沒有改變呢？」

這種想法容易使冥想變成一種朝著目標努力的「過程」，而不是單純的冥想。如果過度期待得到什麼好處，一直抱持著這種心態嘗試，很可能過了幾天，感覺不到任何改變你就想放棄，或者四處尋找其他派別的冥想團體。冥想帶來的效果是緩慢漸進的，是平穩的展開，而不是戲劇性的改變。

③ 冥想不是為了停止思考，沒有所謂的「好壞」

許多冥想老師，甚至自稱冥想是一種習慣的比爾‧蓋茨，都不可能一閉上眼睛就可以百分之百集中注意力。

第一次嘗試冥想的人最常犯的錯誤，就是去評論自己的冥想「成功了」或「失敗了」。冥想不是為了停止思考，而是為了好好覺察你的思緒。當你只專注於呼吸時，也可能出現其他的繁雜思緒，你可能會想起昨天還沒完成的事情，或者覺得外面的汽車喇叭聲很煩。發生這種情況時，你唯一需要做的就是去體驗「喔，原來我是這種感覺」，或者任它輕緩自然的飄過，然後重新把注意力轉回到呼吸即可。

④ 冥想不是逃避，不要藉由冥想來逃離現實

如果你希望得到片刻的放鬆體驗而進行冥想，當然很好，許多人正是基於這個原因而開始接觸冥想，畢竟如果不是因為遇到困難，也不需要深思熟慮過後才踏出第一步。然而，如果你以為這個世界上存在著另一個與現實完全不同的平行世界，那便是錯覺。現實生活就是如此艱難，因此你應該留意冥想的目的是否是為了逃避現實。

請務必記住這一點，冥想是為了平穩心情，逐步改善你的日常生活，用新的心情出發，不是為了逃避現在的問題。

一睜開眼，
對自己說五遍「這很正常！」

不強迫自己正向思考，而是換位思考

「該振作了，我要積極一點！」你是否常反覆出現這種念頭？

剛開始練習正向思考的人，很喜歡向自己信心喊話：「今天開始，我一定要樂觀面對！凡事盡量往好處想。」甚至有一段時間流行起「這樣反而是好事」的說法，也就是即使發生了不好的事情，也告訴自己要練習轉念，把「壞事往好處

想」。但是，這種方法的效果好嗎？我認為更有效的方法是：「**輕鬆面對**」，練習以更客觀的角度分析事情！

「輕鬆面對」和「積極的正向思考」是不一樣的。輕鬆面對並不是說服自己只接受好的情緒、漠視不好的情緒，而是試著接受事情本來就「有好有壞」，接納的同時並練習輕鬆看待。

這需要有意識的練習，特別是當我們受到天大的委屈或被激怒時，要平心靜氣、淡定面對並不容易，畢竟這時候的身心都處於壓力之下。包括我自己在內，很多人談到別人的事可能會覺得「沒什麼」，但是當同樣的事情發生在自己身上，很難不用情緒放大鏡去看你介意的每一件小事。

那該怎麼辦呢？既然「置身其中」很不舒服，那我們不妨試試「**換個立場**」，把自己當作跳脫的「**旁觀者**」來思考，一步步用客觀事實來釐清思緒，試著從多重角度輕鬆看待「自己的」事情，生活、身心、思緒，都會變得輕盈自由許多。

說出「這很正常」，是讓心情鬆綁的咒語

首先要了解，當負面情緒出現，刻意強迫自己用正面樂觀的想法來取代它，實際上反而是一種壓抑，別忘了，我們

騙不了自己的潛意識。

　　例如這個例子：老闆批評你工作做得不夠好，你覺得很丟臉很難過，正好你又是一個很懂自省的人，你只好努力打起精神，對自己喊話：「沒事沒事，老闆是為了我好才這麼說，所以我反而要感謝他，不用太難過。」但等你靜下心來，不妨給自己來個靈魂拷問：「你真的打從心裡感激他嗎？對，老闆說的都對，但你的心情不會受到影響嗎？」如果老闆罵得非常難聽，即使他的批評有其道理，你多多少少還是會感到不開心、不舒服吧？

　　「輕鬆面對」不是裝死也不是躺平，而是用「課題分離」的角度去接納你原本的負面情緒——「事情沒做好，老闆會罵人，這很正常；但就算老闆說的100％都正確，我一樣很不好受，這也很正常。」

　　發生這種情況時，最需要的魔法咒語就是「**這很正常**」。當對方表達情緒的方式很強烈，甚至強烈到超過你所犯的錯，一定會讓你覺得很委屈，這時候，不妨試著去想「我會難過是很正常的」，然後對著心情低落的自己說：「沒有做好工作是我的錯，但被罵會感到不舒服，也是事實。」

　　我們每天都會發生各式各樣的情況，被責備也好、被稱讚也好，都不奇怪，擺臭臉的老闆、為此沮喪的我，也都是

很正常的，然而當你可以輕鬆面對，說出「這很正常」的那
一刻，許多原本糾結的事，你反而能舉重若輕的看待。

好事一定會發生，壞事也在所難免

　　最怕的是那種，習慣鼓舞自己「無論發生什麼事都要正
面思考」的人，一旦真的碰到大事不妙的時候，反而容易卡
關、很多事都做不了。

　　因為現實生活就是這麼殘酷，越怕什麼、越來什麼，即使
每天自我激勵、卯起來喊加油，往往好事沒來壞事先到，而且
常是在我們沒想過的時機點來個迎頭一擊，彷彿命運之神在嘲
笑你：「我倒要看看，這樣你還能不能保持樂觀？」

　　人生有苦有樂，我們不可能避免壞事發生，但我領悟到，
既然無法完美控制生活中的外在環境以及內在情緒，光靠積
極的心態並無法解決所有問題。

　　很多人都聽過這個正向思考的例子：當杯子裡剩下半杯
水時，樂觀的人會說「還剩下一半」；但是，當杯子裡只剩
下幾滴水時，你如果仍堅持「還好啦，還剩很多」，那就是
自欺欺人。你自己也知道那是謊言，你只是在裝傻。人們無
法用忽略負面情緒的方式，一輩子過著逃避的生活。

　　我剛買車子的時候，三不五時就發生小車禍，不是在停車時刮到柱子，就是和別人的車擦撞，幸好都沒有人受傷。雖然都交由保險公司處理，但我得自己負擔五十萬韓元，對我來說實在是一筆天上掉下來的開銷，也讓我那段時間開起車總是膽戰心驚。

　　我很生氣，在百忙之中還要抽空去修車廠修車、要花這麼多錢，我氣自己怎麼這麼不小心，也擔心其他車主會不會有火爆情緒，那陣子我又煩又後悔，腦子亂糟糟的根本無法專心做事。後來我意識到自己必須撲滅心中的火氣，於是，我開始試著壓抑情緒。

　　「好險沒有發生更嚴重的車禍。」「起碼不是在行進中出事。」「跟開車撞到人比起來，已經是萬幸了。」我用這種方式強迫自己正面思考，但是我的心情並沒有好轉，因為我打從心底就是希望沒有發生這些意外。

　　後來我和一位開車經驗豐富的前輩聊起這些，他聽完我的經歷之後對我說：「妳不是例外啦！通常頭一次買車的新手，一個月內差不多會發生四次小擦撞，這是很常見的『定律』。」

　　天哪！一個月四次？這番話乍聽之下就像冷嘲熱諷，讓我更沮喪了。於是我對他說：「因為事不關己，你才說得這麼輕鬆吧？我花這麼多錢都快心疼死了。」我邊說邊跺腳。

　　前輩又說：「真的啦，這很正常。但花這麼多錢，我可以理解妳一定很心痛。」

　　前輩會這麼安慰我，原因顯而易見。第一，他是過來人，這些都是他當初經歷過的事，他不是敷衍我；第二，發生車禍的是我，如今他是旁觀者。

　　沒錯，當我們把自己轉換成旁觀者的角度，「這很正常」這句話就是一個神奇魔法，一旦能說出口，在那一刻，我發現事情沒有原本想像的那麼嚴重，而且我並沒有否定內心的真實感受。

　　討厭的事情發生時、事情不如預期無法順利解決時，深深吸一口氣，重複說五遍：「這很正常。」你會感覺肩上的壓力變輕，心情也釋懷許多。

血拼、大吃大喝，只是暫時的麻痺劑

　　然而，在某些情況下，你實在是太生氣、太難過了，特別是如果有人對你造成了無法癒合的傷害，你可能永遠無法原諒對方，你會崩潰、茫然，心裡只顧著怒吼：「這太離譜了！」這種時候，「這很正常」的魔法就會暫時失去效用。遇到這種情況，我們就換個方向。

「是啊，我當然會氣個半死，這很正常。」

先這樣告訴自己，同時也不須忍耐，盡情釋放怒氣。好好接受自己的負面情緒，可以縮短它的時間；如果你一味壓抑這種情緒，反而會拉長時間。

有沒有遇過這種經歷，當自己很難過時，大哭一場就感覺好過一些？這就是為什麼安慰正在哭泣的朋友，「哭吧，盡量哭沒關係」會比「好啦！不要哭」更有效。

當人類出現不愉快的情緒時，本能的反應是感覺不安並想逃避，一開始會刻意忽略討厭的部分，為了不去想這些煩惱，於是轉移注意力在其他事情上，也許是看不用動腦的搞笑綜藝節目，也許是上街買東西、大吃大喝，又或者是藉由酒精來麻痺自己。以我自己來說，我會狂睡一場。

但是，逃避會讓問題持續累積，負面情緒將擴大成心底的陰影，持續很久很久，它沒有不見，只是暫時被你假裝撇到一邊。所以我們需要練習表達情緒、辨識情緒。

練習像醫生一樣說話

我們必須知道，負面情緒可以分成「**合理情緒**」和「**消耗情緒**」。

　　舉例來說，身體不舒服的人會比平常更煩躁，我最近工作太忙了，加班是家常便飯，在最忙碌的時候，甚至連續三天睡不到十小時。這種時候，人會變得暴躁易怒、天天不耐煩，早上醒來睜開眼睛時，甚至會覺得活著真累──此時我感受到的負面情緒是合理的。

　　那麼，什麼是消耗情緒呢？就是對那些你不想提的事情、你認為討厭的事情，都用消極、不想理會的眼光去看待。有時你會無緣無故對某人發脾氣，或者不管對方說什麼都不屑一顧，不想聽不想碰，也不去溝通解決問題，這種心態就是消耗情緒。

　　為了分辨這兩種情緒，我們可以運用「像醫生一樣說話」的方法，也就是假想自己像醫生問診，練習列出各項客觀的事實，把當下造成困擾、影響情緒的事項一一列出，並以「旁觀者角度」誠實分辨：

　　每一件事當下的關鍵問題點是什麼？這些問題會帶自己或他人什麼後果？會造成哪些困擾嗎？接著，再自己問自己：當下真實的感覺是什麼（憤怒、徬徨、焦慮、亢奮、緊張都有可能）？那麼接下來你真正想做的是什麼、有哪些處理選項？如果你是另一個人會怎麼想、如何溝通更有效？

　　先把事實 vs. 情緒分開處理，而不是第一時間就過度放

大各種情緒。

　　請試試看，在早晨醒來時，先大聲說五遍「這很正常」，多用這種思考角度看事情，你會更習慣分辨情緒，之後無論發生什麼，你都不會覺得「為什麼偏偏是我？」，而是認為**「該發生的總會發生……這很正常」**。

　　當你能坦然接受，即使有各種奇怪的、莫名的壞事臨頭，你也能越來越自在的面對。

Day 3 今天的一分鐘原子目標

第一步

早上醒來後第一件事，大聲說五遍「這很正常。」
「這很正常。」
「這很正常。」
「這很正常。」
「這很正常。」
「這很正常。」

第二步

對於今天一整天所發生的一切，都用「這很正常」
來看待它。

第三步

如果發生讓你完全無法接受的事情，告訴自己：「我
會生氣／難過是理所當然的，這很正常。」

回顧一下昨天，
列出讓你感謝的三件事

正能量練習：有效的反制約訓練

　　我曾經在大學教授動物行為。動物行為學是心理健康醫學的一個分支，研究動物的心理健康，有很多關於如何訓練、教育和利用藥物治療動物的內容，這門學科的課程包括狗狗的訓練方法，其中最具代表性的是「反制約（Counter-Conditioning）」的訓練。

　　反制約的目的，是訓練小狗「避免」做出不當行為。當

小狗試圖爬上桌子、咬衛生紙或對陌生人張牙舞爪的吠叫時，許多主人會大聲斥責說：「不行！」但只要養過狗的人都知道，這種方法沒有用，或只有在當下有效。這是因為小狗不太理解「不可以做某事」的概念，這時需要進行反制約訓練：培養出一項良好行為，以取代某種不良行為。首先，我們透過給小狗獎勵來反覆訓練牠，讓牠能夠遵循「坐下」、「等待」和「回家」等指令。

確實完成這個訓練後，當小狗要撲向陌生人時，對牠下達「坐下」或「等待」的指令，如果小狗服從指令，就給予讚美和獎勵。由於小狗不能在同一時間「跳上跳下」又「坐下等待」，自然就會達到冷靜下來的成效，這個方法比你氣喘吁吁不斷喊「不要跑」或「不行」更有效。當我們不斷重複這個訓練，小狗看到陌生人就不會狂躁蹦跳，而是習慣坐下來安靜等待。

雖然是用小狗的訓練為例，但我們人類也是一樣，可以利用嘗試「做某件事」去取代「不要做某件事」。

避免白象效應：越壓抑，越反彈

你也許聽過心理學的「白象效應」(注)——當一群人收

到指令「不要去想一隻白象」，有趣的是，所有人聽到這句話反而會忍不住不斷想到白象。越壓抑，越反彈；越是告訴自己不要去想，越會浮現那個畫面。

這是因為人的本能就是如此，改掉舊的壞習慣，比養成新的好習慣更困難。當我們陷入情緒的泥沼，即使拚命想要擺脫，那些困住我們的思緒也不會消失，明明要自己不去想那頭白象，你就是忍不住會想到牠，負面情緒也是一樣的情況。

因此，如果想改變習慣，不妨把「反制約訓練」運用到自己身上，就像小狗不能在執行「坐下」指令的同時又跳到人身上一樣，人類也很難在回想值得感恩的事情那一秒又怨天尤人、怨氣滿點。如果你腦中老是這樣想——

「從明天開始，不要說任何抱怨的話。」

「不要負面思考。」

可惜事與願違，無論你下多大的決心，都無法輕易擺脫

注｜又稱白熊效應、後抑制反彈效應（Ironic process theory）。心理學者 Daniel M. Wegner 的研究指出，當我們刻意抑制某些想法時，實際上反而會使這些想法更容易浮現。

嘆氣或抱怨的習慣，因為人生本來就不公平，心煩、憤怒和不合理的事情每天都在我們的周遭上演，永遠會有讓你看不順眼的事發生。所以從現在開始，先專注於尋找讓你感激的事情，**當感恩成為一種習慣，變成腦海中的優先順序，那些抱怨不平自然而然就被拋到腦後。**

　　大多數的宗教都強調感恩。我小時候曾和一個朋友一起去過教會，大家總是先說「感謝神」之後再開始禱告，當你對所擁有的心存感激，心裡的抱怨就會消散。大多數宗教也都鼓勵捐款和義工服務，在佛教中稱為布施、天主教則稱作捐獻。捐獻、布施和十一奉獻所代表的意義不僅僅是對神的付出，也是一種清空自己貪婪的行為。無論你如何承諾「不貪心」，要付諸實踐都不容易，所以才會強調要對他人付出。也許宗教人士們早在數千年前就已經領悟「反制約」的道理了呢！

常常寫下來，感恩就成為習慣

　　我每天都會使用行動計畫表來規劃行程、管理時間，它有一個備註欄，我會在裡面寫下「每一日要感謝的三件事」。你也可以使用我之前設計的版本（請參考拙作《原子時間》）

來記錄，列出這些每天要做的小小目標、值得回味的感受。

剛開始你可能會毫無頭緒，但只要寫了一兩次，很快就能得心應手。不需要想太多，隨時隨地寫下你腦海中浮現的好事情吧！

例如我現在正在咖啡館裡用我的筆電寫作，我很感謝能夠擁有一台功能良好的筆電，讓我的創作順利。還有，謝謝今天咖啡館裡很安靜，讓我文思泉湧、寫得很快。我很怕冷，但我很感激今天戴的圍巾很暖和。周末是令人很容易懶散的時刻，我很感謝自己能夠像這樣勤勞的起床、出門寫作。咖啡的溫度很完美，很好入喉，我也為此感恩。

你可能會覺得這是硬擠出雞毛蒜皮的小事來寫，但那又有何妨呢？我們的目的並不是列出一些事情之後，像法官一樣嚴格判定是否符合感恩標準，值得感恩的事情無分大小，都令人愉悅。這是一種反制約訓練，運用「感恩的新習慣」去取代「抱怨的舊習慣」，因此，無論是多麼微不足道的事，都值得記上一筆。

你可以感謝有一個溫暖的房間和一台舒適的冷暖氣機，也可以感謝自己克服了誘惑，拒絕了昨天的宵夜。你所擁有的一切、你身邊的人、你現在的處境、今天的天氣等等，都是感恩的對象。而且，當你感謝得越多，就越容易感受到來

自世界的善意，這是因為你養成了能享受小事的習慣，一旦你的身體具備了這種「感恩體質」，難道不是成為造就快樂人生的最佳利器？

光是像這樣坐著，就能夠想到五件令人感激的事情，這是一種幸福，如果一開始對你而言五件太多，那就先三件吧！現在暫時停止讀這本書，先想想那些讓人感謝的日常小事，幫自己的「幸運存摺」記個帳。

Day 4 今天的一分鐘原子目標

第一步

早上醒來之後，立刻回想昨天發生的三件讓你很感
激的事情（真的想不到，那就只想出一件事）。

第二步

從嘴裡說出「因為○○○，所以我很感謝」。

第三步

想像你的身體充滿了感謝之心，開啟良善的一天。

打開窗，
用陽光和風取代早晨第一杯咖啡

早上一醒來就喝咖啡，有如毒藥

　　我是嚴重的咖啡因成癮者，早上起床後如果不先喝一杯咖啡，我就會頭痛。有一天我去醫院看診，告訴醫師我每天早上醒來之後都要喝咖啡，醫生很堅決的勸我，最好不要一起床就喝咖啡！

　　原因是當一個人早上剛醒來的時候，通常身體會分泌皮質醇，喚醒自己並且提供能量，但是如果你在這段分泌的高

峰期喝下咖啡，身體的自然反應被打亂，反而容易使你更加疲倦。皮質醇常被稱為「壓力荷爾蒙」，它可以促進晨間的活動力，因此許多醫師建議，早上起床後至少過一兩個小時再喝咖啡。

我現在仍然是咖啡因重度依賴者，只是因為醫生的建議，我會提醒自己等過了十點之後再喝咖啡。然而，改變習慣真的是一件很難的事！剛開始，起床後不喝咖啡，我會覺得身體很沉重，自己渾渾噩噩的，彷彿是在半夢半醒的狀態下出門上班。所以我找到另一種方法：早晨一醒來先拉開所有的窗簾，讓身體沐浴在耀眼的陽光下。

用光線下載快樂荷爾蒙

當你一睜開眼睛看見燦爛的陽光，很快就能趕走睡意；而且早晨的陽光會促進身體分泌快樂荷爾蒙「血清素」，調節睡眠荷爾蒙「褪黑激素」，等過了十四～十五小時之後，到晚上你自然而然會產生睡意，就能睡個好覺。

如果整天都沒有曬太陽，只待在陰暗的地方，晚上容易睡不好。再加上智慧型手機等 3C 產品無所不在，我們從早到晚都受到藍光的刺激，這種不規律會打亂身體的睡眠周期。

最近這段時間，我早上醒來就打開窗戶，用一兩分鐘曬曬太陽，什麼都不做，什麼都不去想，只是靜靜的感受風的流動。即使不是在早上，當我在工作中感到焦慮，或者被很多事情壓得喘不過氣時，我會短暫離開大樓，在陽光下散散步或享受日光浴，這麼做是為了讓自己稍微停頓下來。

有時我必須輪班，晚上熬夜工作，這會讓生理時鐘日夜顛倒，為此我還買了小夜燈，白天小睡一下，晚上醒來之後我特別會開一下燈，讓自己照照光線。就像蛋雞養殖場有時會使用人工照明來調節雞的產蛋周期，光亮與黑暗的周期對動物的影響遠比想像的更大。

因此，早上起床之後，在進行日常活動之前，必須讓自己處在光亮的環境，而晚上睡覺前必須讓自己處在陰暗處。

免費又好用的暫停方式：曬一下太陽

我們現在需要的是「**暫停一下**」，暫時停下手邊的工作，曬一下太陽也是紓解壓力的好方法。

英國作家約翰・海利（Johann Hari）在《誰偷走了你的專注力？》(註) 提到生活不斷「分裂」的危險性。我們處在一個停不下來的現代社會，生活極度緊湊，飛躍性的科技讓

資訊流通的速度瘋狂增長，然而，每天暴露在這麼巨量的複雜資訊之下，人們能專注在單一項資訊的時間不斷縮短，理解深度也變淺，注意力越來越碎片化。

大約在一百年前，人們仍是按照大自然的步調生活，畢竟再怎麼心急，也不能使稻米成熟得更快，也無法加速果實的成長速度，如今，我們為了提高效率，行事曆塞滿更多事項，海量資訊湧向腦袋，反而很難跳脫忙碌緊張的生活節奏。

人人都有資訊焦慮，深怕如果無法在短時間內吸收大量資訊，彷彿將被社會所淘汰。但問題是，我們擷取資訊的程度太膚淺了，根本不足以了解這個世界的面貌。在這種時候，我認為我們需要「暫停一下」，就像貼近的建築物需要有防火巷的空間，樹木與樹木之間也需要一定的縫隙才能長得好，在你的一天中，別忘了給自己必要的空白。

注｜《誰偷走了你的專注力？：分心世代的 12 個課題，如何停止瞎忙，重拾心流、效率與創意》（STOLEN FOCUS: Why You Can't Pay Attention - And How To Think Deeply Again），李瑟譯，天下生活出版，2022。

用減法思考取代資訊焦慮

　　我們生活在一個營養和資訊過剩的時代，所以我認為減法比加法更重要，與其不斷把自己的身心塞滿，現在更應該把注意力放在「**減去事物**」。

　　據說約翰・海利學過瑜珈。瑜珈這種運動可以透過非常緩慢的動作，更細緻的去感受肌肉的律動，這是一種能夠讓你暫時停止忙碌思緒的好方法。如果不想做瑜珈呢？那也沒有關係，在繁忙的日程中，只需要抽出一點時間喘口氣，抬頭看看天空，感受微風、享受一下陽光。

　　有資訊焦慮的人，嚴重到某種程度會感覺喘不過氣，身心都會生病。我一直過著忙碌的生活，又是斜槓又是創作，我自認為過得很充實，但在某些時刻，我會突然不知道自己為什麼而活，我感到莫名的焦慮、無緣無故失去信心，彷彿做什麼都提不起勁——這就是我需要「暫停一下」的跡象。我意識到這件事，也開始練習將內心騰出空間，去容納那些對我來說真正重要的事。

　　今天就試試看，與其早上醒來先喝咖啡，不如改成打開窗戶享受一下陽光的療癒力。讓我們的身體被陽光所撫慰，有如「免費下載」必需的激素，像是血清素、褪黑激素、皮質醇和

腦內啡等等。

　　這麼簡單微小的動作，卻能為身體創造大大的效果，即使片刻也好，允許自己什麼都不做或暫停一下，在展開一天之前，先用「剛剛好的留白」整理自我，重新出發。

Day 5 今天的一分鐘原子目標

第一步
早上醒來先喝一杯水，取代咖啡。

第二步
將客廳的燈開到最亮，並且打開窗簾和窗戶。

第三步
坐在窗戶邊，曬一下陽光（如果直射的陽光太強烈，最好塗抹防曬乳）。

第四步
沐浴在陽光下，什麼都不做，只要感受風吹拂著臉頰，讓光線自然調節身體系統的韻律。

向小時候的自己，
傳一則加油簡訊

休息是種藝術，放鬆是種能力

多年前在某一次公司聚餐上，同事曾問我一個問題：「妳休假的時候會做什麼？」

我想了一下之後，竟然不自覺的回答：「我幾乎都不休假的。」

我也不知道當時為什麼會這麼直接。我明明可以說一些比較「正常」的答案，像是看看書、找朋友，或者待在家看

Netflix 追劇。

我一講完自己都覺得有點尷尬，然後為了緩和氣氛，我笑著補充說：「嗯，因為我就是一閒下來就會焦慮的個性啦，應該是一種病吧，哈哈哈……」

這時，在場的其他人笑著附和，稱讚我總是很勤奮，一直很拚，接著就轉移其他話題了。雖然這只是很稀鬆平常的聚餐閒聊，但那天對我來說，卻是一件不得了的大事，因為直到我自己脫口說出「我都不休假」，突然間，我才真正察覺原來我一刻不得閒，把自己逼得這麼緊。

這就像「你喜歡吃什麼？」一樣簡單的問題，但每次我都要絞盡腦汁去想答案。是的，我就是幾乎都不休假的那種人，每次被問到休假的時候都在做什麼，竟然不知道怎麼回答才好。

當那一天我領悟到，自己真的全年無休的時候，猜猜看我做的第一件事情是什麼？我跑去書店找半天，買了一本《休息的藝術》（注）來讀。也許，休個假就好，但我居然還在「學

注｜《休息的藝術：睡好睡滿還是累？比睡眠更能帶來活力與幸福的10道休息建言》（The Art of Rest: How to Find Respite in the Modern Age），克勞蒂亞・哈蒙德（Claudia Hammond）著，吳慕書譯，商周出版，2020。

習該怎麼休息」，結果呢，沒放鬆反而又忙起來了，這就是我。像我這樣的人，一輩子都在不斷督促自己去做「有生產力」的事情。

工作狂是為了什麼？

「我是從什麼時候開始這麼拚命？」我非常想知道，我是從什麼時候開始養成這種強迫症，於是一遍又一遍不斷反問我自己。我想起小學六年級時寫下的作文。小學秋季寫作大賽的題目不外乎是「運動會」、「遠足」等，我以秋季運動會為題，寫了一篇散文，結果在秋季寫作大賽中得了獎。我至今還記得那篇作文的內容，它的開頭是這樣的：

終於到了運動會的日子。弟弟因為身體不舒服，沒辦法參加任何競賽，他一邊大哭一邊耍脾氣，讓爸媽束手無策。因此我決定要很努力表現，才能讓爸媽感到開心一點。

文章的結尾是這樣的：

因為爸媽看見我的努力，露出開心的樣子，我因此感到快樂。我希望明年我和弟弟都能表現得很好，讓爸媽更開心。

當時的作文得了大獎，無論是我、爸媽還是老師都非常

開心，那枚亮晶晶的獎牌也被放在家裡最顯眼的位置，一放就是好幾年。但是上了高中之後，某一天，心裡有個聲音，我再也不想看到那個獎牌，我把它收了起來。我發現，只要看到那塊獎牌，就會想起小時候那個「認真奔跑，內心卻又累又想哭的自己」。為了彌補生病的弟弟做不到的事，我必須比別人加倍努力，連弟弟的份一起做到完美，才能填補爸媽心裡的缺憾，身為長女和姊姊，我想要一起承擔弟弟的責任和表現。當時我真心認為，能者多勞，這麼做是種幸福，但是現在想想，就算我是姊姊，也只不過是區區一個小學生而已。

很多孩子會從父母的讚美和認同中尋找自己存在的意義，因為不被父母接納，就代表心理或實質上被放棄了，一旦被拋棄要怎麼生存下去呢？事後回想，我很可能就是抱持著這種想法，我不知道什麼叫偷懶，無論什麼情況都不休息，絕對盡力做好做滿，就算是「假裝努力」去做也好。就這樣，我積極進取的度過了年幼時期，直到長大成人。即使到了今天，只要不得不休假，仍難免會感到焦慮。

我的情況是，我不是一直在工作，就是因為沒法工作而感到罪惡感。

心裡不舒服的時候，專注觀察身體變化

我認為人的心中都有一張網。也許平常沒什麼存在感，但如果發生某件特別的事情，我們不知不覺就會被困在那張網裡面。當然不是所有事都會把你困住，問題是歷史總會重演，每次困住我們的陷阱都長得很相似，只要有一次為了某件事情陷入網中，它就會一直縈繞在你的腦海，以至於之後發生第二次、第三次、第四次都逃不掉。

舉例來說，假設有一個人曾經因為沒錢的問題被別人瞧不起，某一天，這個人去商店購物，結帳時他交給店員一張金融卡。店員告訴他：「客人，不好意思，這張卡片顯示餘額不足。」店員只不過是如實告知，但他卻預設立場，認為店員是瞧不起他，一怒之下再也不去那間店消費，回到家之後因為太氣了，還到處踹東西大發脾氣。如果他的心裡沒有那張網，大可以掏出另一張卡去刷，事情就解決了。

我心裡也有這樣的一張網，那張網的名字是「腳踏實地、認認真真」，看起來很正面，但其實是一種自我強迫。我的問題是，如果被人認為我在偷懶，我會深感羞恥。我太在意別人對我的評價，總是兢兢業業去做好每一件事，偏偏身體狀況卻跟不上我的決心，一旦生病了，沒法好好工作，或者

工作進度不如預期時，我就會擔心被貼上不夠認真的標籤，並因此感到又丟臉又痛苦。

「他是不是在罵我？」「如果因為我能力不足，被瞧不起的話怎麼辦？」我腦海中不斷迴盪各種悲慘的自我想像。結果，我會因為別人的無心之言而難過，也因為自己的「腦內小劇場」而誤解別人的意思。

如果你此時也感覺身心俱疲，試著回想看看，是否也有過類似的經驗？什麼都想不起來也無妨，換個方式，打開感官，專注於你實際的感受，同時試著去覺察自己生理上的反應，例如因為生氣而呼吸急促，或者因為覺得丟臉而臉頰泛紅。當你全神貫注在身體的變化，之前的經驗也會隨之浮上心頭，全盤檢視一下身心的大小變化，就能明白你心中的那張網是從何而來。

我也是在體驗這個過程之後，才真正了解我心中的那張網是什麼（你大概已經猜到了，我心中的網和小時候的成長經驗有關）。對一個年幼的孩子而言，當然不可能意識到什麼心中的網，但是對現在的你而言，每當被捲入情緒漩渦、焦慮不安時，請把這種情緒的不舒服看成是一種契機，它是在你討厭自己之前，可以認清心靈之網的絕佳機會。

接著，試著與年幼的自己對話吧，那張捆綁自己的心網，

常常是我們年幼時無意識創造出來的。

　　在早晨睜開眼、一天的行程開始之前，是幫自己回到源頭的好時機，找到原因才能解開那張困住自我的網。

　　我是這樣告訴小時候的自己：

　　「運動會是屬於你的日子，妳不需要為了任何人做兩人份的事。妳不需要追求別人的認同，也沒有義務去幫生病的弟弟表現，妳唯一的任務就是，讓妳自己快樂。」

Day 6 今天的一分鐘原子目標

第一步

回想一下，你小時候有哪些事情讓你感到難過，平時先把它寫下來。

第二步

假設你能回到當時的情景，寫下你想對小時候的自己說的話。

第三步

早上醒來後，以旁觀者的角度，傳一則鼓勵的簡訊給小時候的自己。

關注身體的痠痛訊號，
用一分鐘按摩

文明病不是天生注定，有意識就能改變

我是一名獸醫。提到「獸醫」你會想到什麼？最常見的印象就是穿著藍色醫療制服，外面套著一件白色長袍，長袍上方的口袋裡隨時插著筆燈、溫度計和簽名筆等。只要生病的動物一進診間，我們就需要用到聽診器和溫度計，所以脖子上經常掛著聽診器。但是我很少會在脖子上掛聽診器，因為我有頸部疼痛的老毛病，只要掛上聽診器，不

到三十分鐘，後頸就又緊繃又疼痛，簡直像要斷掉一樣。聽診器是看診的重要工具，偏偏我不能隨身掛著，只好大費周章另外多買了好幾副聽診器，到處放在辦公室裡各個隨手可及的角落。

除此之外，我也不太能綁許多年輕女生愛綁的「丸子頭」，就是把頭髮往上盤起的髮型。因為我的頭髮長而濃密，如果把頭髮往上紮起來，脖子就會因為重量而變得更痛。

我以為頸部疼痛的毛病是體質的緣故，可能我那個部位天生就比較脆弱，但幾年前，我上了皮拉提斯的課之後，才終於找到頸部疼痛的真正原因：原來是我走路的時候都縮著身體。

我的皮拉提斯老師告訴我，一部分原因是我長期滑手機，以及久坐辦公室造成的，但另一部分原因是來自於我心理上的問題。每當我感覺有壓力和緊張的時候，我會習慣性把脖子和頸部向前傾，導致縮在一起。我好驚訝，原來自己根深蒂固的小習慣，無形之中演變成了極度惱人的慢性疼痛。

改變姿勢，就能啟動賀爾蒙

對我來說，皮拉提斯老師教會我的不只是運動的知識，在生活習慣和心態方面也給予我極大的幫助，而且都是我原

本以為非常基本的小事：如何睡得好、吃得好，以及遇到同樣的情況時怎麼思考而不會感到壓力山大。

　　無論再怎麼認真運動、吃再多藥物或營養補充品，如果基本生活習慣歪掉了，治標不治本，健康永遠好不了。另外，老師也強調一件事情，對我而言獲益良多，那就是養成隨時觀察自己的習慣。

　　我必須體察自己的感受、身體的姿勢，以及覺知哪裡感到疼痛，如果出現問題，就必須立刻處理。皮拉提斯老師很棒，開朗的表情、自信的體態和清晰有條理的說話方式，令所有人都對他印象深刻，我想也許是他的生活方式使他顯得這麼與眾不同，是一個看一眼就很舒服的人。正如他所說，端正的姿勢和正確的習慣，都與人的心態密切相關，相由心生，自然也造就人的外在氣場。

　　《生存的 12 條法則》是在各國都很暢銷的書（注），裡面提到的第一條法則簡單到讓我很驚訝，就是「站直，抬頭挺胸」！原理是，只要抬頭挺胸並端正姿勢，就會啟動各種賀

注｜《生存的 12 條法則：當代最具影響力的公共知識分子，對混亂生活開出的解方》（12 Rules for Life: An Antidote to Chaos），喬登‧彼得森（Jordan B. Peterson）著，劉思潔、何雪綾合譯，大家出版社，2019。

爾蒙，讓人能擁有勝利者的心態。**身體姿勢是可以帶動心態改變的第一步，也是很簡單、沒有成本的第一步。**

然而，保持良好的姿勢並不容易，要有意識的經常觀察自己的身體更不容易，這是為什麼呢？

平常身體很好，但每逢周末就生病？

我們總是習慣「往外看」，而不是「向內看」。

包括我自己在內的許多人，都忙於追求外在的成就，以至於我們沒有真正關心自己的內在。我們面前總是有一堆事情需要立刻解決，有某些目標需要趕緊去落實，所以不得不先面對眼前的問題，而且才剛完成一個目標，又會出現下一件新的任務。久而久之，我們早已習慣不斷往前看，眼中只看到比自己做得更好、爬得更高、那些更有成就的人，因此也一直鞭策自己去達成新的目標。

當然，朝著美好的願景努力是件好事，問題是在這個過程中，當我們的視線一直向外觀望，不免就忽略了要好好照顧自己，甚至沒發現自己的身體出了問題。很多人在平日一直忙於工作，沒有意識到自己接近生病或已經生病了，然後一到周末，就覺得整個人都不舒服，這就是原因所在。

觀察自己，意思就是像「照顧孩子」一樣去照顧自己。

當孩子哭泣時，大人會做的第一件事情就是問他為什麼哭，但是我們自己呢？當身體因為不舒服發出痛苦的哀嚎時，我們經常忽略這些提醒，漠視自己身心不適，有意無意轉移注意力，告訴自己先把焦點放在外在的成就。或者，你也許會認為在實現目標之前，投入力氣去關愛自己也是一種奢侈或放縱。但這麼做，就像有一個寶寶因為肚子餓而嚎啕大哭，你卻故意播放很大聲的音樂來掩蓋哭聲，假裝他的問題不存在。

照顧自己的第一個方法，就是仔細覺知身體所發出的訊息，把自己從頭到腳掃瞄一次。

有些人在專注於某件事情時，會習慣性咬緊牙齒，因此造成下巴疼痛；有些人常喊肩膀疼痛，因為他們像我一樣有縮著脖子和肩膀前傾的習慣。請仔細觀察自己，看看你的眼睛是否因為長時間盯著螢幕而變得乾澀和疲憊，或今天是否已經打了一百個呵欠？是否因為長期睡眠不足早已出現慢性疲勞？

問自己五個問題

　　快樂的人不僅能專注於眼前的工作，他們更不會忽略自己，有照顧自己並且定期省思的習慣。請回想一下你第一次下定決心要設定目標的時候，無論是某一科要考一百分、段考想拿第一名、工作業績要衝第一、買第一棟房子⋯⋯無論大小目標都好，想想看，你是否以為只要實現目標就會開心得不得了，後來卻發現那種成就感帶來的興奮是如此短暫？

　　我們一開始以為成功找到工作就會快樂、如果業績達成目標就會快樂⋯⋯但是你的肩頸痠痛、你的壓力很大、你忙於工作而睡眠不足、你有慢性疲勞，這樣的你一點都不快樂。你也許不是很確定未來還要達成什麼樣的目標，但很確定的是你現在感覺怪怪的，說快樂卻不太快樂。

　　如果有上述的問題，代表你需要先轉移視線，好好檢視當下的自己，這並不代表要逃避現實，因為目標還是在哪裡，你只是需要停、看、聽目前內心的感受與身體的訊號。

　　如果不知道該怎麼覺察自己、釐清自己，請試著回答下列五個基本問題：

1. 我現在快樂嗎？
2. 我對我正在做的事情滿意嗎？
3. 我是否花時間與我關心的人在一起？
4. 我有沒有哪裡感覺疼痛？
5. 我是否對某件事持續感到壓力？

懂得照顧自己的人，會變得閃閃發光！就像我的皮拉提斯老師一樣，人們總是樂於與自帶光芒的人相處。

現在請你深呼吸一下，有意識的縮起前傾的下巴，抬頭挺胸，就像勝利者的姿態（但也不要太用力抬高脖子），先調整姿勢，身體會回饋給你，不但能減輕疼痛還能增加自信。

早上醒來後，專注於身體每個部位的感覺，感受那些疼痛、緊繃不適的部位。如果你感到有點痛，無論多麼輕微，請按摩那個部位並且伸展它，緊繃的肌肉反映出你的壓力，請傾聽身體發出的訊號，並且思考它們為什麼會緊繃。

Day 7 今天的一分鐘原子目標

第一步

早晨醒來之後,做三次深呼吸。用鼻子吸氣,用嘴巴吐氣,為身體注入氧氣。

第二步

在深呼吸的過程中,注意身體的每個部位,看看是否有任何疼痛。

第三步

如果有感到疼痛的部位,請專注於伸展它。

第四步

向自己保證,今天一整天會好好照顧疼痛的部位。

一日一小事，
給自己一個「原子任務」

游泳教會我的事：越不貪心越不費力

幾年前我又重新開始游泳，一游就持續了三年多，游泳對我而言非常有趣，晨泳課讓我認識了來自各行各業、各種年齡層的人，也有機會連帶去接觸其他和游泳相關的水上活動。大家都知道游泳是很好的運動，但也許你沒注意過，光是待在水中，就能讓身體非常自然而簡單的進入冥想狀態。

當你越想用力，身體就越下沉；然而當你真正放鬆並順

著水流浮動時，就會感覺身體在水中自由了起來。在水中，用錯力氣游泳，看起來不但不優雅，而且從遠處看就好像在揮手掙扎求救。相較之下，從遠處觀察擅長游泳的人，可以看到高手的移動就像自在滑行一樣，毫不費力就能在水面上平穩優雅的前進。

　　游泳和做事一樣，方法對了，才能事半功倍。但即使再喜歡游泳，我以前有一個很頭痛的弱點：長距離的游泳。我從小就不怕水，多虧了這一點，我能享受很多水上活動，例如自由潛水、尾波衝浪我都玩過。但是，只要我想游長距離，一定喘得要命，不但身體僵硬，也突然變得怕水，我游一半就本能的攀住牆壁或拉繩，用外力把自己撐起來。剛開始，教練叫我在五十公尺的泳道上來回游四趟熱身，我第一個反應都是長嘆一口氣。後來教練給了我一個建議，祕訣非常簡單，就是「只要專注於妳現在正在做的動作」，就能讓我變得更省力。

　　他的意思是，如果我有意識的注意，每一次手臂和踢腿的動作做得更標準，並更加專心體會抓水和推水的感覺，比較不容易疲憊，能順勢游得更好更久。我對此半信半疑，畢竟我不算新手，我有點懷疑修正姿勢能突然提升我的心肺功能，我始終認為自己的問題是耐力不夠，難道微調姿勢就能

快速解決我呼吸困難的情況嗎？但出乎意料的是，我才第一次調整，就發現教練說的果然沒錯。

以前我每次想要游長距離，第一反應是「設定要游多長的目標」，一旦有這個念頭，我會不由自主想抬頭看看到底還剩下多少距離，一直在意還有多少趟得游，不知不覺我就會喘不過氣、越游越累，覺得自己做不到。後來當我揮動手臂時，只專注於那一次手臂的動作；當我踢腳時，只專注於那一次踢腳的動作；當我轉動頭部時，我只專注於那一回呼吸，不知不覺中，我發現自己竟然已經到達了泳道的盡頭。因為只專注於當下的動作，時間反倒過得飛快，我也不再盲目的自己嚇自己。

不是偉大的目標，而是今日就能辦到的事

學游泳時，除了反覆進行長距離的練習，每天還要重複性的訓練，通常要一遍又一遍練習一個非常小的特定動作。教練告訴我，不是傻傻的練習整個手臂的連續動作，而是專注於更小的細節，小至如何放鬆指尖、如何正確抬起手肘，以及如何將肩膀往前推等。通常每堂游泳課只會訓練一個或最多兩個動作，如果一次練習太多，體力很快就會耗盡，也

就更難掌握這些動作。

　　仔細想想，我們設定人生的重要目標，努力去築夢的過程也與學習游泳很類似，再棒的目標擺在遠方，光是想到它與自己的距離，就像長距離游泳，一抬頭看到「還差這麼遠」，難免洩氣。如果把注意力一直放在「目前的自己」和「未來的目標」之間的差距，我必須達到一百，但是我現在只做了五，還剩下九十五必須完成，而日復一日的計算使人厭倦。

　　這就像一個不愛讀書的學生，每讀完一頁就不停盯著課本，想著離考試範圍還剩下多少頁要拚，越想越緊張。你在讀書或運動時是不是也會這樣？如果是的話，不妨嘗試細分你的目標，與其放眼偉大的目標而天天感到壓力，不如每天設定一個能夠很快完成的小標的，更容易在實現後感到滿足。這就像游泳課每一天的分項訓練一樣，不是放棄遠景，而是確實把握現在。

信心需要被證明：讓目標可視化

　　有時候我們所立下的小目標有可能無法當天完成，也許這一天太忙碌或想偷懶，一不留神，一整天就這樣過去了。即使如此，去思考今天可以完成的一件小事還是很有意

義，因為你能夠更明確把握，每天自己可以做到多少程度來實現目標，並且看得見自己有能力做出改變。每天去做一件小事，信念會構築得更為踏實。

信心本來就需要被證明。比起吶喊「我做得到」，更重要的是見證自己一步一步達成目標，再小的事都值得喝采。可以多看成功運動員或通過考試的人的採訪，他們都有一個共同點：**當自己焦慮時就會開始行動**。當運動員擔心「我這個賽季能打得好嗎？」，他就會再多投一次球，與其自我懷疑不如沉浸在練習中。我也是一樣，當我感到焦慮時，就會用這個方法：做了再說。

「我能成功嗎？我可以實現我的夢想嗎？」每當我出現這種疑問，我就會開始做事情，而這些事情非常非常簡單，可能只是多讀一個生字，或者多寫一小段文稿。這些通通都會成為讓我更相信自己的證明。想像一下，如果我們每天都在收集對自己有信心的證明，而當這些「證據」累積得越多，自己的「資本」不就也越雄厚！

別擔心不夠努力，今天只要讀一頁就好！

現在就找出一日之內可以完成的一件事情，創造一個讓你能夠相信自己的證明。決定出最小的任務，只要付出一點努力就可以達成，可以降低抗拒，另一個好處是，小目標是可以無限延伸的踏板，不知不覺你會做得比原本的目標多更多！

我在擔任獸醫的第一年就開始經營 YouTube 頻道。作為菜鳥獸醫，我有很多東西要學，與此同時，我每天拍攝並上傳的日常生活影片，也自然而然成為一個以學習主題為主的 YouTube 頻道。

會員提出最多的問題之一是：「當我不想讀書時，該怎麼辦？」這時，我都會請他們坐在書桌前，告訴自己：「今天只要讀目錄就好。」或「今天只要讀註解的部分就好。」

我在前一本書《原子時間》曾提到一個口訣：「**喜歡的事認真去做，討厭的事讓它變得簡單。**」很神奇的是，也許一開始勉強坐在書桌前翻開書，只是像我說的，原本只想閱讀目錄就好，但看了看又覺得有點可惜，於是多讀了幾頁；當你只是閱讀了註解，又會覺得順便吧！反正感覺不差，所以又多

讀了一兩頁。

順著這種感覺讀下去，最後你會發現自己完成的比原本的目標（只有目錄或註解）更多，漸漸的，信心滋長，原本猶疑煩躁的心也變得更加堅定。當然，你也可以只讀兩到三頁就好，完成你原訂的最小目標。

最有效的準備工作，就是先執行一小步

要做一件事情的時候，我們有一個非常容易犯的錯誤：花了太多時間進行準備。很多人認為必須做足萬全的準備才能著手去做，舉例來說，當你打算開始做重訓，你想做好功課，花了大量時間尋找哪一間健身房比較好，查詢附近的健身房、瀏覽評論、比較價格，然後一直重複這個過程。當這些準備功夫拖太久，你會有一種「我有在忙」的錯覺，但事實上沒有任何進展。

因此，最好用「決定健身房並報名」，或者「今天做十個平板式」來啟動，而不是把「尋找健身房」作為當天的目標──換句話說，**訂出能夠馬上身體力行的目標就好。**

你的最終目標和夢想是什麼？你是否正在做一些事情來

實現這個夢想，卻對沒有進展而感到沮喪？如果是這樣的話，請你在早晨一醒來，先想想今天能夠做到的最小單位「原子任務」，然後在一天之內去實踐它（不要放隔夜），你會獲得意想不到的滿足！

Day 8 今天的一分鐘原子目標

第一步

早上醒來之後，重溫你的夢想。

第二步

思考並決定你今天可以完成的最小任務，有助於實踐這個「迷你夢想」。這必須是你當天能夠完成、具體而實際去做的任務。

第三步

在今天之內完成早上所設定的事情，回味一下獲得的成就感，大小都好！

寫下喜歡的三件事
和討厭的三件事

你的「喜歡」是真的喜歡嗎？

　　在皮克斯動畫《元素方城市》中，主角小炎（Ember）有一個畢生的夢想，那就是繼承父親的商店。她從小努力學習，持續朝著這個目標前進，直到有一天，當她不太情願上著困難的訓練課程時，她突然意識到，繼承商店是父親的想法，卻不是她本人真正的夢想。身為獨生女，小炎自覺有義務要繼承這家店，因為這是爸爸畢生所追求的心願，於是她

始終誤以為自己是真心喜歡在商店工作，這段情節也讓許多觀眾產生了共鳴。

我發現有許多人和小炎一樣，不太了解自己喜歡什麼和討厭什麼。

最主要的原因是，我們從小到大，似乎都在一個沒有太多機會為自己做選擇的環境中成長，總是有各種有形或無形、來自周圍的慣例或價值觀在影響我們。也許是集體文化的影響，身為社會人，我們常認為公開表達個人好惡是不禮貌的，要懂得傾聽甚至配合周圍的聲音。

又或者為了養家糊口，生活都快喘不過氣了，哪還有時間去思考自己喜歡什麼、不喜歡什麼、想追求什麼。在這種情況下，就像我們從小被教導「挑食是不好的」，人不能只吃自己愛吃的食物，同樣的也無法隨心所欲只做自己想做的事，久而久之，對於很多事也就盡量不再區分自己究竟是喜歡還是不喜歡。

還有一種可能：我們不斷受到別人好惡的影響，潛移默化下，把自己不喜歡的當作喜歡，把自己不討厭的誤以為討厭——我沒有特別愛散步，但是因為男友喜歡，所以我誤以為自己也喜歡走路運動；如果朋友們都愛看棒球，為了能融入話題，即使自己沒那麼熱中，也把看棒球當成興趣。

　　我們會自我催眠，以滿足身邊人們的期望；有時甚至會
把自己「想要成為的樣子」誤認為是「我喜歡的樣子」。

　　簡單舉個例子：你本身並不是一個喜歡早起的人，但你
認為「一大清早就元氣滿滿的運動或工作」是成功人士的典
型，於是也催眠自己「我喜歡早起工作，我是積極的晨型人」。

誠實去分辨三種心態

　　喜歡和不喜歡，原本就會隨著當下的心情和狀況隨時改
變，是動態的心境變化，然而，我們需要更敏銳的去分辨出
這三種情況：

　　1. 自己真正喜歡的。
　　2. 誤以為喜歡的。
　　3. 大多數人喜歡，但我並不喜歡的。

　　要誠實以對，你要不斷觀察自己，變得更懂自己，這是
一個需要有意識去沉澱、覺察的過程。

　　以我而言，在仔細觀察自己之後，發現喜歡的和不喜歡
的事情如下：

我喜歡的事：大部分的競技性運動、與一群人一起玩桌遊、在紙上寫字、獨自待在咖啡館、拍攝影片。

(出乎我意料之外) 我不喜歡的事：聽音樂、散步、找美食餐廳、拍照。

我討厭的事：室內有氧運動、網路遊戲。

為什麼要這麼做呢？因為當我開始深入思考自己的好惡，它們會變得越來越具體，我的想法也越來越清晰。

例如，我原本以為我不喜歡運動，但後來發現，我只是不喜歡一個人在室內運動，但我喜歡和一群人在戶外一起運動。

又例如，拍影片和拍照看起來是類似的事，但我不喜歡拍照，卻很喜歡拍影片。我不喜歡網路遊戲和手遊，一年玩的時間大概不到三小時，但我很喜歡多人一起玩的桌遊。

以前去旅行，我看到其他網友在社群媒體發佈的美食照片，我也想按圖索驥，照著那些美食餐廳去規劃旅遊路線，有一段時間更會以尋找美食作為我的旅行主題。但試過幾次之後，我發現這並不適合我。美食照片在社群上很誘人，但無論路途多遠、無論是否當地限定，我發現我是那種即使大老遠跑一趟，沒吃到也無所謂、完全不覺得可惜的人，於是

「以美食為旅行目的」對我而言就不成立了。

先掌握好惡，就能預測情緒

清楚分辨自己喜歡和討厭的事情，到底有什麼意義呢？最大、最美妙的改變是，**我的情緒變得更好預測，能夠減少無謂的內耗和心情波動。**

回到先前提到的《元素方城市》。小炎一開始堅信繼承商店也是她的夢想，但是在幫忙打理商店的過程中，她常莫名感到煩躁和憤怒，而她不知道自己究竟怎麼了，為什麼會這麼易怒？只是一味責怪自己：「我本來就是一個情緒起伏很大、很容易生氣的人。」然而，她的煩躁和憤怒其實是一種來自內心的訊號——這些情緒代表心底深處的質疑：「現在所做的一切真是你想要的嗎？」

如果是自己真正想要的，即使再怎麼辛苦，你都不至於像巨量火藥一樣，動不動就被引爆；反之，就因為你正在做的事、拚命付出的努力，很可能都不是內心想做的，與真正的想法有所牴觸，你才會如此煩躁，或隨便把怒氣發洩在錯誤的地方。

當我們明確知道自己喜歡什麼和不喜歡什麼，不再輕易

被人牽著走，可以減少不安定感，頭腦也會冷靜許多。

從戀人的視角，問自己「喜歡什麼」？

人類因群居動物的天性使然，總是渴望得到他人的認同、注意和關愛。你暗自期待周圍的人可以依照你的心意對待你，希望爸媽懂你、另一半更貼心、朋友理解你，然而，很多時候別人並不能真正同理你的感受。你希望有人比你更了解你喜歡什麼、配合你的喜好，但弔詭的是，通常你卻無法為了自己這樣做——所以，今天，**請把自己當自己的戀人，想像你就是自己最親近的伴侶。**

一般而言，一對剛交往、處於甜蜜熱戀期的情侶，總會好奇另一半喜歡什麼、不喜歡什麼，想要窮盡心力挖掘並記住對方的大小事，以便討對方歡心。現在就試試看，就用那種心態來對待自己。

一開始，你可能想不到自己喜歡什麼，也可能只想躺下來，什麼都不做（如果怎麼想都想不到，也許是因為從來沒有人問過你喜歡什麼或不喜歡什麼）。這些都沒關係，只要從現在開始，把它們一個一個找出來就好。

以戀人的視角問問自己：「你要什麼、不要什麼？」你

可能會感覺小小的尷尬，但是當你提出的問題越多、回答越多，你喜歡和不喜歡的事項清單就會不斷拉長。

以「喜歡」當出發點，用舒適的方式拓展舒適圈

別誤會了，這種假想練習並不是要你只做喜歡的事，不做不喜歡的事，而是當你擁有自由去做喜歡的事情時，也會對原本不喜歡的事情更加包容！

雖然我們很容易被生活中的大小雜事佔滿時間和心力，但就算一周只有次也好，試著至少騰出一點點時間去做那些喜歡的事。一開始想不到要做些什麼，就從周圍找尋靈感，也許身邊的人所做的事情當中，也有吸引你的部分，就試著去接觸看。如果獨力完成有難度，多請教他們。

許多「喜歡」與「不喜歡」，都得親身接觸與摸索才會有感覺，經驗越廣泛，就越有機會發現自己的喜好，沒有嘗試新事物，自然很難發掘自己內在的潛力。

我們來畫個重點：**第一、挪出時間做自己想做的事；第二、不放棄嘗試新的事情，讓喜好的圈子不斷擴大**。到了某個時刻，生活會像一棵豐收的樹，枝枒繁茂並結出滿滿的果實。

現在，請趕緊開始，問自己第一個問題吧！

Day 9 今天的一分鐘原子目標

第一步
想像一下你是自己的戀人。

第二步
早晨醒來，想想你的戀人（就是你自己）喜歡什麼和不喜歡什麼。

第三步
利用午休時間在紙上寫下你喜歡的三件事和不喜歡的三件事。如果你不確定，只寫一件事情就好，並仔細想想這件事是否受到周圍氣氛的影響。

第四步
在喜歡的三件事中選出一件，今天之內為自己做到。

第五步
從現在開始，一想到喜歡和不喜歡的事情時，就寫下來列入清單。

對自己承諾，
今天善待不認識的人

在危機時刻出現的守護天使

　　我曾經歷過校園暴力事件。這發生在我小學六年級的時候。如同多數校園霸凌事件，起因非常單純，當時霸凌者喜歡我的鄰座同學，希望我跟她交換位子，但我沒有，我是一個非常聽老師話的乖乖牌，我告訴她，如果得到老師的允許我就跟她換。也許我的回答讓這個同學不滿意，她在某個周末把我叫到附近中學前一條荒涼的小巷子裡。

　　我傻傻的去赴約，現場除了她之外，還有其他五、六名個頭很大的學生。她用各種侮辱的話來威脅我，甚至作勢要打我，我忍著不哭。我本能的認為，我不能示弱，如果先哭出來，我就會成為真正的受害者。

　　還好，後來正好有一輛汽車駛進了這條荒涼的小巷。車子經過我們的時候，突然停了下來，一對夫妻走下車，後座坐著一個年齡和我相仿的男孩。從副駕駛座下車的阿姨朝著我們大吼，問我那些學生是不是欺負我！她很憤怒，氣得臉紅脖子粗，把我當成自己的孩子一樣保護我。

　　阿姨對她的先生大喊趕快報警，然後抓住那些學生的手臂，想叫他們上車一起去警察局。那些原本像凶神惡煞的孩子踢到鐵板，一個個縮在車子旁，不斷道歉說自己錯了。現在回想起來，他們也不過是一群小學生，當時全被怒氣騰騰的阿姨給震懾住了！

　　阿姨把帶頭的霸凌者罵一頓，當著他們的面遞給我一張名片，說如果有人再欺負我，就撥打這個號碼，警局和檢察院都有她認識的人。儘管後來我告訴她我沒事，她還是開車把我送到了我家門口。

　　事件發生後，當我周一去上學，那個帶頭霸凌的同學態度有一百八十度大轉變，變得非常和善！雖然我沒辦法跟

她變成好朋友，但從那時起，我的校園生活恢復了往日的平靜。

今日小任務：「幫忙」

　　長大後，每當我看到有關校園暴力的報導，就特別感念當時那位阿姨實在是我生命中的救星，萬一那天她沒有出現在那條巷子裡，我會怎麼樣？想打我的人不知道什麼時候才會罷手？我的身心會不會留下深刻的傷，直到長大都難以釋懷？

　　我曾想，假設餘生只能有一個願望，那麼我會許下的願望是：找到當年幫助我的阿姨，對她說：「謝謝妳，拯救了我這輩子！」

　　幾年前的某一天，一位聽我聊起這個小故事的前輩告訴我：「妳不必非要找到她才能回饋善意給對方，既然接受了陌生人的幫助，也可以把這份良善的心意傳遞給另一個陌生人啊！」

　　一聽到這句話，我感到如釋重負！是啊！我一直耿耿於懷無法回報這份人情，但如今我聽進前輩的建議，努力讓自己變成一個更善良的人，用我的方式表達我對那位阿姨的感

激與回饋。

　　我向自己承諾，此後遇到面臨困難的人，我也會盡力付出善意，不會視而不見，因為小小一個舉動可能會改變某個人的一生。況且，即使幫不上多大的忙，或只是萍水相逢的一個陌生人，一點點溫暖如果能讓另一個人感覺好過一些，那就代表我將自己得到的幫助回饋出去百分之一、千分之一。

　　我的故事可能有點戲劇化，但我相信人生在世，總有各種機會接受來自他人的善意或幫助，也許你現在沒辦法立刻回想起來，那也無妨，只須試著先對另一個人伸出援手，給對方一點溫暖的力量，你就是先開啟「善循環」的那個人。大家都聽過「施比受更有福」，聽起來老套，卻絕對是讓自己身心舒暢的超有用小祕訣！

　　我向自己承諾，以後遇到有難的人或處於危險中的人，我不會假裝沒看到，而是像當年那個阿姨一樣，會去拉他們一把。我也理解，在這個年代，有不少人覺得給予或接受陌生人的幫助是很為難、很令人尷尬的，面對陌生人突然表達善意，也難免讓人產生很強的警戒心，但我想，「給人幫助」不在於做的事多偉大，就算是一個舉手之勞也足以暖心。

　　例如在公共場所，我們扶著門，方便後面的人進來；當你看到前面有人掉了錢包，幫忙撿起來物歸原主……都是很

有意義的「幫個小忙」。

　　先做一個幫助別人的人，未來當你獲得別人的幫助時，就寬心接受。現在我把自己的決心與大家分享，因而它不再是我個人暗藏於心裡的自我期許，而是公開的承諾。

Day 10 今天的一分鐘原子目標

第一步
想一想你生活中是否曾接受過陌生人的幫助？

第二步
早上醒來後，設定「當天的善意任務」。即使小事
也沒關係，例如：

· 進入電梯時，按下「開」的按鈕，等後面的人進來。
· 坐在你旁邊或走在你前面的人有東西掉了，幫他撿起來。
· 進出公共空間時，幫後面的人扶一下門，方便讓他進來。
· 在捷運或公車上讓座給你眼前的人。
· 到公司之後，向你遇到的第一個人遞上一杯咖啡。

第三步
感謝自己，能夠將從他人那裡得到的恩惠和善意回
饋給別人。

寫字的神奇力量：
請在紙上寫下一個好句子

透過手寫，讓大腦強化長期記憶

　　我非常愛寫字，特別是寫筆記和日記，雖然我也習慣把重要行程記錄在手機的行事曆 APP，但基本上更喜歡把每天要做的事都手寫在記事本上。

　　大家回想一下，學生時期是不是或多或少有被老師要求罰抄課文的經驗？在我小時候，只要有人沒寫作業或違反校規，老師很常用罰寫這招來懲罰學生。絕大多數的孩子都討

厭罰寫，只有我，不但不排斥還感到興味盎然，沒錯，我就是這麼喜歡手寫字！

當我讀書讀到一半開始分心、無法集中注意力的時候，我會把內容抄在筆記本上，一邊寫一邊記，並在腦中回想以強化理解。對我來說，在寫字的時候，我會自然而然變得更專心、更能夠讀得進去。

在成年後，我有一群熱愛寫字、志同道合的朋友，我們常在網路上彼此分享各式各樣的謄寫手稿，每當讀書讀到很棒的段落，就抄寫在紙上，然後拍照傳給對方。

能讀到一本打動自己的好書，從中挑出觸動心弦的句子，對我而言是一種心靈上的小確幸，再加上能與好友共享這些佳句，那一天會令我特別滿足！

寫字的心流：將感官都交給雙手

寫作是高難度的思維活動，謄寫則容易得多，因為後者不需要創造全新的東西，而是複製或重整已經寫好的內容。順道一提，如果你是一個很難用文字表達自己想法的人，我會建議你先嘗試以抄寫來累積靈感。

我喜愛創作，大量的謄寫對我來說很有用。透過抄寫，

可以把那些名言佳句、厲害的觀點刻印在腦海裡，而且整理成自己的版本，未來還可以重讀好幾遍，畢竟優秀的作家總是思考得更深更廣，那些智慧的結晶值得反覆咀嚼。

在抄寫的時候，因為速度慢下來了，更容易去注意文章細節，整篇文章或整本書的概念也變得越來越生動。一開始或許是照單全收，但漸漸的，讀著、寫著，會有不同的體悟，你就越來越能將他人的見解吸收並轉化為自己的思想。

閱讀、思考、書寫，這三者的結合是一種能拓展思考幅度的方法，雖然花時間，但也是最透徹的閱讀方式，我們能藉此提高寫作技巧和詞彙量，也能學習更正確的語法。

抄寫文字，對我來說還有一個很奇妙的好處：**它能發揮類似冥想的效果**。謄寫一篇長文章的時間，通常會比想像的更久，也因此，將所有感官交給雙手，長時間專注於寫字的過程，會進入一種類似冥想的「心流」狀態。對於像我這樣雜念叢生的人來說，練習一次只專注做一件事的過程便格外重要。

書寫時，雜念會瞬間消失

我記得當我第一次嘗試冥想時，實在很難集中注意力。

那時候，我很難讓身體保持靜止，也無法只專注於呼吸，越是跟自己說不能動越想要動，我的呼吸節奏很快就不受控制，一心只想逃跑。

我的腦海中就像有非洲動物大遷徙，瘋狂湧入各式各樣的想法，「我昨天吃的咖哩飯真好吃……他喜歡我嗎…？我房間的桌子太小了，真想買張大一點的……那家咖啡店幾點關門啊，肚子好像餓了……？」我不知道該怎麼清空思緒。於是，我的冥想老師給了我一本書，頁數不多，他希望我從頭到尾把書的內容抄一遍。

這對我來說不是問題，拿到書後，原本就喜歡寫字的我，開始不間斷的抄寫。就在某一天，我認真寫著老師交代的作業時，突然驚覺，自己除了眼前這本書，似乎完全沒有其他的雜念呢！一向很難專注在一件事情上的我，在寫字的那一刻，真實感受到了心靈的平靜。

從此，每當我想要尋求心靈上的平靜時，就開始謄寫文章。

有些人在感受壓力或焦慮的時候，會習慣咬指甲，這是因為當我們用手指進行簡單、機械式的重複動作，不知不覺會啟動神經系統並讓心情穩定下來。許多精神科醫生也開始利用「抄寫文字」作為自閉症、ADHD（注意力不足過動症）和失智症的輔助治療。目前已有科學證實，謄寫也是克服焦

慮的方法之一(注)。

　　有人可能會嫌自己字醜，自認不好看所以不愛寫，如果你因此感到困擾，那更應該從現在開始寫。寫字包含了一連串的肌肉運作，當我們拿起筆，養成在紙上平穩、緩慢、一筆一劃仔細寫下每個字的習慣，你改善的不只是字跡，對於心情也有很大的幫助。

寫下你最喜歡的句子

　　如何開始謄寫的第一步呢？首先去挑一本你有興趣的書，或者有的人喜歡寫佳句格言、經典文學或佛經，都好！總之，先不必限定什麼類型，只要挑一本能觸動你心靈的書，或者你想要效法作者觀點的書。你可以只挑書中的部分佳句，也可以選擇把一本書從頭到尾都謄寫下來。

　　如果你能找到一本非常喜歡、甚至可以算得上「人生之書」的佳作，那麼更不用急著寫完，我們的目標並不是在短

注｜《嶺南日報》，〈香水博士的大腦故事──大腦和寫作之間有什麼關係？〉2021 年 7 月 19 日。

時間內抄寫所有內容，而是一遍又一遍的閱讀自己有共鳴的
書，趁著有空時一點點、慢慢的抄寫下來。

我的人生之書是艾克哈特 · 托勒（Eckhart Tolle）的《當
下的力量》(注)。這本書我從頭到尾讀了大約五遍，而且顯
然讀五遍還不夠，我也挑戰把這本書從頭到尾抄下來。這本
書很厚，抄一遍可是大工程，但我太喜歡了，很想仔細思索
書中的每一句話，並將其銘記在心。

你想寫多少就寫多少，有興趣才能持續下去，重點是不
要感到壓力，累的時候就隨時放下筆，並不必為了交功課或
為了誰而寫。

寫什麼或抄什麼書並不重要，也未必需要是一本書，報
紙或雜誌上的一篇報導，或是電影中的一句話、一首詩或一
首歌的歌詞……什麼都行，寫在筆記本、素描本，甚至用觸
控筆寫平板電腦都沒有關係（但我非常不建議用鍵盤打字）。

還有，不妨挑一支順眼又好用的筆來寫，並寫在一本你
看了會微笑、漂漂亮亮的本子上。

注｜《當下的力量：通往靈性開悟的指引》（The Power of Now: A Guide to
Spiritual Enlightenment），梁永安譯，橡實文化，2023。

　　讓寫字的過程感覺良好，更容易養成習慣並長期維持，但如果太在意字跡寫得漂不漂亮，可能會本末倒置。不需要因為寫得不好看就一直重寫，別忘了「寫的目的」是什麼，除非是握筆姿勢不正確，就得盡量先改正這部分。我小時候的握筆習慣不正確，習慣用中指和無名指握筆寫字，或常常過度用力抓得太緊，這會對手指和手腕造成很大的壓力，容易長繭，以至於沒辦法長時間書寫。

　　所以，我在長時間抄寫時，會提醒自己保持正確的握筆姿勢，不要太用力，雖然這個姿勢寫出來的字不夠漂亮，但能讓我更舒服，可以寫更長的時間。

　　現在就找一張紙，隨心寫下你喜歡的一句話吧！只要有「寫」就有「得」，看到成果會讓人有成就感，你的心也會變得平靜。在寫完句子後，如果覺得只有自己欣賞有點小寂寞，那可以跟我一樣，拍張照片傳給好朋友，你會感受到不一樣的樂趣。

Day 11 今天的一分鐘原子目標

第一步

平日看到一本好書、一個好句子、一句好的歌詞時，把它們留下來。

第二步

當你早上醒來後（或到了辦公室正要泡第一杯茶時），選擇你最喜歡的那一句話，以手寫在一張紙上。

第三步

如果你願意分享這句話的力量，請拍照傳給你親近的好友。

問問自己：
如果不缺錢，你想做什麼？

你也幻想過，平行時空的自己嗎？

「如果你不缺錢，你想做什麼？」

我很喜歡這個問題。朋友幾年前問過我這個問題，而我現在經常拿來問別人。假設你不擔心金錢、沒有每月需要固定薪水的壓力，或許很早就會開始思考自己真正想做的事情──而我對這個問題的答案始終如一。

「我想買一輛麵包車，裝載各種醫療設備，然後前往全

國各地的流浪狗收容所，提供免費的醫療服務。我想什麼時候出發就什麼時候出發，而且只要我想做就去做。」

我很清楚知道自己喜歡什麼。我喜歡動物、喜歡幫助別人，也喜歡我的專業獸醫學；而我最喜歡的就是做我想做的事，什麼時候想做就去做。我想，無論多麼熱愛某件事，如果是被迫或強迫自己去做，最終都忍不住會討厭它。

我每天都努力工作，但偶爾也有倦怠厭世的時候，突然想逃離職場，想東想西懷疑起人生，這時候，我總會忍不住想像未來的自己——彷彿在平行時空有另一個「柳韓彬」，可以自由做真正想做的事，而不是因為有人叫我去做。

先練習「不否定」，才追求「更好」

「如果你清楚自己想要什麼，你就會找到方法去做。」我對這句話深信不疑，但也有另一種不同角度的聲音：「欲望是一種自我折磨。」

有欲望、有追求，就會有煩惱，但我們也不可能放下一切。我想多數人都能認同，放下欲望並不代表什麼都不追求、不嘗試，人一旦沒有目標，對未來能有什麼盼望？沒有動力的飄浮著，又怎能踏實認真的感受每一天？

我們得找到方法，一方面得到自己想要的，一方面安頓身心，減低欲望帶來的痛苦。我現在的方法是牢記以下這句話，然後再大膽追求目標——

「如果我不快樂，並不是因為現在缺少什麼。」

換句話說，我會這樣想：「我現在已經夠好了，只是還想多嘗試看看。」

來比較一下這兩句話，「我又不漂亮，一定要瘦下來才會有人喜歡我」和「我對自己很滿意，只要做點運動會更好」，二者的心態截然不同。

我常提醒自己，跟朋友說話時要好好說。當有朋友抱怨：「我變胖了，我想要減肥。」我會回答她：「妳現在就很好看，要是再瘦下來還得了喔？」

我沒有欺騙她，也不是刻意討好她，我認為這是一種「**不隨便否定的說話方式**」，我不否定朋友想減重和變美的渴望，**但也不過度批評現狀、不執著於改變未來。**

在追求欲望時會感到痛苦，是因我們誤以為「我缺了它就不快樂，擁有它我才會滿意」。

「必須擁有更多，才能更快樂」，這種想法本身就很危險，即使得到了那個東西，也很難達到原本預期的平靜或幸福。因為當你抵達目標，依賴的動力消失了，你會感到空洞

而無趣，於是習慣性的「又」渴望去追求另一個成就或標的。這樣下去，你會被困住，不斷重演「欲望→滿足→無趣→新欲望」的不快樂輪迴。

我們身邊有很多人，包括我自己，常妄自菲薄，甚至把「痛苦」當作拚命提升的動力，「我很廢、我長得醜。我的父母窮得要命。如果我再這樣下去，永遠不會有人愛我，我必須賺更多錢才能上得了檯面」。

像這樣不斷貶低自己的人，是很辛苦的，想追求「更好」，卻不習慣讓自己過得好一點，而是鑽牛角尖，認定「痛苦」才是鞭策自己的動力與證明。如果人在得到想要的東西之後，就能一路幸福快樂該有多好，但事實並非如此，「不滿意」帶來更多「不滿足」，只會讓自己陷入自我價值低落的泥沼。

如果你現在因為得不到想要的東西而煩惱，不妨先喊一下暫停，覆誦這句話：「**我現在已經夠好了！**」先願意肯定這一點，再出發面對挑戰、追求目標。

不要被扣分文化綁架

我們傳統的教育觀念是「扣分導向」，在整個求學時期

無止境的計較分數，每天評估 PR 值、被檢討究竟離滿分還差多少，無論大人小孩，目光都是膠著在答錯的問題上。如果是作風嚴厲的父母師長，更是容易放大孩子的缺點。長大後，成為社會人的生活充滿競爭，每個人都想成為人上人，於是我們也習慣拿自己與更優秀的人比較，不斷檢討自己所欠缺的部分，以求彌補差距。但這只是一種思考習慣，雖然是根深蒂固的社會觀念，並不代表你不能跳脫出來。

我是素食者。每當跟親友聚會，我說我吃素，身邊的人一開口就擔心我會不會營養不良。他們總是在擔心，關心我怎麼攝取蛋白質，以及是否常生病。只要我在冬天感冒，一定會有人說：「就是因為妳都不吃肉才會生病。」但請看看周遭的人們，純粹因為營養不良而進醫院的人很多嗎？相信有更多是因為過重、罹患糖尿病和血脂過高等文明病才上醫院吧！

距今不過兩代之前的四、五十年前，的確有很多人因為物資匱乏、營養不良而生病，肉類是一種營養密度高，且富含各種蛋白質的食物，也是解決多數營養缺乏症的良好熱量來源，但我們如今身處的時代，該擔心的已經不是營養不良，而是營養過剩。當人們的觀念始終沒有跟上世界變化的腳步，這是一種「文化遲鈍」的現象。

我們的欲望也是如此。就算自己已經擁有許多，但耳邊

還是會響起一個聲音：「你還不夠好，再積極一點！」

也因此大人們永遠都在擔心孩子表現不如人，總是督促孩子要更努力、要考取更好的成績。

人們喜歡透過社群媒體炫耀，展現自己是快樂的人生勝利組；各行各業的廣告沒完沒了的幫大眾洗腦，明示暗示：「你不滿足、不快樂、不夠好，是因為你沒有買我們公司的產品。」置身在這種爆炸性推銷的環境中，總是令人忍不住想：「對耶，我會覺得這麼煩，就是因為我缺好多東西！」

越是這種時候，就越需要清楚自己的主觀意識是什麼，以及真正想要做什麼，才能更享受實踐的過程，而不會糾結於結果。

今天，先問自己一個問題，釐清真正的渴望在哪裡，而不是被外物蒙蔽，一直追逐「出於匱乏」才產生的欲望。就是一開始我們說的：「如果你不缺錢，你想做什麼？」

找到真正想做的事情時，記得告訴自己：「我現在已經夠好了，**但假設我不缺錢的話，我想要試試看，能不能挑戰『那件事』**。」光只是這樣想，你就能撥開迷霧，至少能平靜許多。

能對自己感到滿足的人，在任何情況下都不會感到絕望。

Day 12 今天的一分鐘原子目標

第一步

當你早晨醒來時，問自己：「如果不缺錢，你想做什麼？」（仔細思考、寫下需求，也許現在就能找到方法去執行這件事）。

第二步

如果你找到了問題的答案，傳給自己一則簡訊，鼓勵自己去做「那件事」，或至少先做第一步。

眺望遠處的群山，
轉換宏觀視野

為什麼該做的事情像喪屍一樣，沒完沒了？

現代人總是忙裡忙外，工作永遠堆積如山，我也不例外。
我從事獸醫工作很多年了，大部分的動物醫院診療室都是密
閉空間，沒有對外窗，看診以外的時間，我都在另一間大約
兩到三坪的辦公室工作，中午也多半在這裡吃便當解決一餐。

動物醫院的工作非常忙碌，大廳永遠有等待治療的毛小
孩和飼主穿梭排隊，掛號名單總是長長一串，有時候一整天

忙到連喘口氣的時間都沒有，我甚至覺得自己快虛脫了，我快變成「需要接受治療」的人，而不是「治療動物」的人。看著這些川流不息的傷病動物，我就想起卓別林的電影《摩登時代》中生產線齒輪永不停歇的場景。

就在我想要改變這種生活的時候，一個機會找上門，我很幸運，受邀去一所大學擔任教授，但後來我發現，在大學工作並沒有為生活帶來更多正面的改變。

教授研究室裡有一扇對外窗，但由於我必須背對窗戶、盯著螢幕看，為了避免陽光干擾，不得不整天用百葉窗遮起來。除了教學，我幾乎不會與別人交流，早晚都關在研究室裡，只透過電子郵件和其他教職人員溝通。加班到晚上十點多是常態，很可能一整天都沒有和誰說過任何一句話。

在大學任職後，我有一天突然意識到胸口越來越悶，腦子塞得滿滿的，但必須完成的工作卻像解決不完的喪屍一樣不斷跳出來，壓得我喘不過氣。

視野狹隘化，造成腦霧

我想應該有很多上班族和我有類似的情況：一整天盯著二十吋大小的螢幕，眼睛離開螢幕的時間不到幾分鐘，這就

是日常、就是你的工作型態。這種模式之下，不要說發揮創意，光是處理擺在眼前的事就忙不完了。

現代社會的分工細緻，但這也讓許多人的工作僅限於狹隘的範疇，公司體系越龐大，這種情況就越明顯，我們往往在難以了解整體運作的情況下，一直機械化的重複自己所負責的部分。即使你才華洋溢，也未必能隨興發揮，甚至於在許多高度專業化的職業領域，工作範圍的侷限更多。

當我們日復一日在受限的區域內埋頭工作，又長期缺乏留白與休息，就容易出現「腦霧」現象。顧名思義，就是腦子裡彷彿出現了一團迷霧，你可能會感覺視力下降、思緒空轉。當記憶力下降，疲勞和憂鬱主宰我們的生心理，就會感覺生活處處卡關、工作不順，人也容易變得焦慮。

一旦出現這些狀況，你必須意識到「我被困在瑣事」、「我的視野越來越狹隘」，這時，需要讓大腦有喘息的空間。

讓腦袋煥然一新的視野轉換法

我先是找到一種隨手可得、也很有趣的方法：玩一下Google Earth 的 APP。這個衛星地圖程式提供了世界大部分地區的衛星圖像。

一開始，我只是覺得在地圖上找出自己的家和辦公室很有趣，漸漸的，我發現在這個小小的螢幕裡，可以無遠弗屆探索世界上各個地區，這實在很吸引我。在瀏覽某個區域的衛星影像時，不斷捲動滑鼠縮小影像，出現的範圍變得越來越大，離我家的巷弄越來越遠，甚至可以看見飄浮在太空中的地球。

看到整個地球的圖像時，我會閉上眼睛思考片刻，很神奇的，此時思緒漸漸清晰，彷彿整天門窗緊閉、開著暖氣的悶熱小房間突然開了窗，有一陣冬日冷風吹了進來，令人猛然清醒。

另一個讓大腦喘息的方法是冥想。正如 Day 2 提到的小習慣一樣，冥想能夠幫助我們在平日裡重啟平衡狀態，但是，如果你感覺被困在一個狹小的空間而感到窒息時，你最迫切需要的是先呼吸一口新鮮空氣。

當我們的想法太凌亂、思緒卡住了，很難專注進入冥想狀態（特別是剛接觸冥想的初學者更會碰到這個問題），這時身體最需要的是另一種方法：做一些運動，而不是強迫自己開始冥想。或者，如果環境允許，離開房間，走上高一點的樓層看向窗外，給自己一點留白時間，做做深呼吸、仰望天空和眺望遠方。

　　我的另一個工作是作家，只要有筆記本和電腦，我可以在任何地方寫作，但每當我寫到文思枯竭，我會特別找一家可以看到海景的咖啡店，或是可以打開窗戶眺望遠處的地方工作。

　　因為視野改變了，腦袋就會跟著打開。

沒有窗戶，就透過手機俯瞰大地

　　在早上醒來後，立刻打開窗戶，花一分鐘看向遠處，之後再開始其他作息，在能力範圍內，盡可能做到你能做的就好。就像我待在連小小的對外窗都沒有的看診室裡，用 Google Earth 讓大腦獲得喘息空間一樣，只要你有心尋找一個適合自己、條件允許的方法，那你就一定會找到它。

　　在 YouTube 上瀏覽航空照片，或一些以無人機鳥瞰大地的影片也不錯。我的用意是，多從宏觀的視角重新看待世界，能油然而生一股新鮮的動力，不知不覺去完成眼前該做的事，一一解決棘手和煩心的困擾。

　　在一個擁擠的地鐵車廂中，如果所有人同時擠向出口，會塞得水洩不通，沒有人出得去；反之，請從最靠近出口的人開始排隊，有秩序的一個一個走出去，人人都能順利下車。

　　我們的頭腦也是一樣的道理，當我們塞滿了越多東西，就越需要注入新鮮空氣，讓大腦重新排出優先次序。

　　轉換平時習慣的視角，讓頭腦有新鮮感，再開始去做你原訂要做的事情。

Day 13 今天的一分鐘原子目標

第一步

早上醒來後，打開窗戶，盡可能眺望最遠處的風景。

第二步

如果前方被建築物擋住，那就仰望天空一分鐘。

第三步

調整視野，從你早上可以做到的小事開始做起。

點燃一支線香，
什麼都不做，靜靜凝視它

空間裝飾的最後一個步驟：香味

　　幾年前，在 COVID-19 流行期間的聖誕節，我去拜訪了一個好朋友。朋友的房子裝潢得很漂亮，簡直就像雜誌上那麼美。朋友說，在家放鬆的時間是一天中最重要的時光，所以他花很多心思裝潢自己的家，在許多角落都布置了雅緻的家飾品，整個空間看起來乾淨清爽、纖塵不染，也種了不少植物，每過幾個月還會重新變動家具來改變氣氛。主人喜歡

下廚，餐具精挑細選、食材搭配健康，每天在家優雅從容的料理，非常樂在其中。

但除了內部裝潢之外，真正讓我印象深刻的是屋裡擺了許多蠟燭。幾乎是每個空間，包括房間、客廳和浴室都放有香氛蠟燭和加熱器（不須點燃蠟燭，可用燈泡加熱以散發香氣的燈）。我問他為什麼收集這麼多蠟燭，朋友回答說：「氣味，使室內布置更加完整。」他補充說，那些室內擺設只是填滿了一部分的空間，而香氣則充滿了整個空間，因此改變氣味就會改變整個空間的氛圍。哇！這番話說得太棒了，在此之前，我似乎沒有注意過「氣味」對於氣氛的打造有這麼大影響。離開前，朋友還要我挑選一支喜歡的蠟燭帶走。

只是改變了氣味，就改變了日常的能量

從那時候起，我也開始購買一個個不同品牌的蠟燭，讓香味也成為我日常生活的一個小亮點。我買了蠟燭加熱器，在每個房間放置不同香味的蠟燭，跟著心情改變空間的氛圍。每當房間瀰漫著不同的香味，我就會想起朋友對生活的態度——珍視生活每一刻，把自己重視的空間妝點得很美麗。只要改變家裡的一種氣味，就能改變整個氛圍。

美化身處的空間，並珍惜休息起居的時間，也代表著你重視你自己。我很感激朋友教了我這個寶貴的道理。

你能體會環境對人的重要性嗎？我想多數人都喜歡住在一個白天有陽光明媚、晚上有微風徐徐，敞朗清爽、通風良好的地方，最好還能按照自己心意打造自我風格，然而現實中，我們居住的環境未必能具備這些美好的條件，所以，如果想用低成本改變居住空間的氛圍，可以試試看像我一樣使用香味，不用花費太多的時間或金錢，也能為空間增添美好的氣息。

線香可當沙漏，計時冥想時間

蠟燭改變了我的日常生活，不久之後，我開始加入香氛用的線香棒。有些罐裝蠟燭非常貴，也需要較長時間才能散發香氣，相較之下線香比較便宜，而且很快就會用完，添購時多買一點也不心疼，可以盡興挑選各種香味而不會厭倦。

線香還有一個用途：燃燒時間比蠟燭短，我會把它當作沙漏，做為短時間的計時工具，例如點一支線香，在點燃的時間裡進行冥想。

　　如果希望香味持續久一點，就使用蠟燭和蠟燭加熱器；如果想要冥想或消除異味，我會更推薦用線香。

　　香味的另一個特點是「**記憶**」。有些氣味會讓你想起某些人或某些情景，例如提到「燃香」，許多人第一印象是聯想到寺廟。想像一下，在人煙稀少的地方，時不時傳來的風鈴聲、寺廟周圍的樹木綠蔭、爬樹的松鼠、晴朗的天空，還有啜飲一口寺廟前飲水台的水，一切如此寧靜安適。

　　只是燃燒一支香，就能喚起過去在寺廟中度過的靜謐時光，因此，燃香是很適合進入冥想的方法。用香的含意也是如此。據說在佛教中有種說法，燃香是燃燒自己，為周圍帶來香氣；點燭是燃燒自己，以照亮周圍環境，都是代表犧牲的精神。

　　與芳香療法一樣，美好的香味能發散一種能量，有淨化心靈的作用，事實上，光是盯著空氣中冉冉升起的煙霧，就有冥想的效果。

需要活力時使用甜橙，需要休息時使用薰衣草

　　燃香有需要注意的事項。首先，畢竟是燃燒產生煙霧，難免會影響呼吸系統，如果你有過敏、呼吸系統方面的疾病，

應該先諮詢醫生，多加小心。

其次，就算你的氣管、鼻子都沒有問題，使用時也最好開著窗戶，或者在燃燒後先開窗通風一段時間。如果你有孩子或寵物，也要格外小心，特別是寵物的呼吸系統更加敏感，而且狗狗會習慣性把鼻子貼在地板上嗅聞，如果燃燒後的灰燼散落在地板上，牠透過鼻子吸入很容易引起健康問題。

除了蠟燭和線香棒，你也可以考慮使用精油燭台和茶蠟燭，都能發揮很好的薰香效果。挑選你喜歡的香氛精油，用蠟燭間接加熱以散發香味，不同的精油有不同的效果，購買時可以問問看每種精油的好處。

當我需要活力時，我會使用甜橙精油；當我需要放鬆和平靜內心時，我會使用薰衣草；當我感到沮喪時，會使用玫瑰精油，但相對來說比較昂貴。

如果你剛接觸蠟燭、線香或精油的世界，我推薦幾種我個人最喜歡的香氛：

一、線香棒

• Nag Champa、Super Hit：當提到「薰香」或「寺廟氣味」時，你會想到這種帶有檀香的香味。這種氣味令人聯想到一座安靜的山中寺廟，使內心感到平穩輕鬆，這是一種比較寧

靜大氣的味道，這兩款是我最推薦的。

二、蠟燭

- Bath & Body Works：如果你喜歡香草和巧克力等甜甜的香味，這個品牌就是你的最佳選擇。它應該是最擅長生產甜美香味的公司了。另外，Bath & Body Works 生產的產品味道相當濃郁，沒點燃就有清晰的香氣，當然也可使用蠟燭加熱器來加熱。只要打開蓋子，香味自然就會擴散開來。特別推薦給因呼吸系統問題而不能燃燒線香棒或蠟燭的人。

- Yankee Candle 的「Fresh Cut Rose」：這款我推薦給喜歡新鮮花香的人。有時候因為玫瑰精油太貴而買不下手時，我會大量使用它們作為替代品。

- 木芯蠟燭：這種蠟燭的燭蕊由木頭製成。與其用蠟燭加熱器來加熱，不如直接點燃，才能百分之百充分發揮木芯蠟燭的特色。它的特點是木芯在燃燒時會發出劈啪劈啪的聲音，就像真正燃燒木頭一樣。每次聽著這劈啪的聲響，真的很舒壓，超級療癒！這種頻率的聲音也是一種白噪音，有靜心甚至助眠的效果。如果要說缺點的話，它不像棉芯那樣能夠穩定燃燒，有些產品燃燒到一半就熄滅了，所以最好先看過產品介紹或消費者評論之後再決定要不要購買。

　　這本書都是介紹起床後的第一個活動，只有這一天，這是一個最適合在下班後，準備睡覺前一兩個小時進行的小活動。

　　當你選好了適合自己的香味，不妨在深夜打開窗戶，點燃一會兒。香味瀰漫之際，多運用想像力去想像你正處在一個全新的、從未踏足過的地方。或者你可以回顧一天，想想最感謝或最快樂的一件事，然後進入冥想。

Day 14 今天的一分鐘原子目標｜晚上版

第一步
晚上睡覺前，選擇一款符合你今天心情的香味。

第二步
打開窗戶、點燃線香或蠟燭，凝視一分鐘（什麼都不想，專注於香味）。

第三步
閉上眼睛片刻，想像香味帶領你來到一個全新的空間。也可以想想今天你最感謝的一件事，並且開始冥想。

用蓮蓬頭淋浴，
跟著水流放空或思考

洗澡是鎮定身心的小儀式

　　幾年前的一個冬天，我參與一部電影的演出。有一天要
拍外景，所有的拍攝必須在戶外完成，拍到一半突然開始下
雪，當天我穿了兩件禦寒衣，用上了拍攝組給我的暖暖包，
一離開鏡頭就把自己裹得密不通風，但那一天的工作從早上
一直到日落才完成，收工時我全身都凍僵了。

　　當所有預定的拍攝工作都結束之後，我們去吃了湯飯，

但還是無法祛除從骨子裡透出來的寒意，我的手指頭凍到連湯匙都握不住，大腦彷彿已停止運作。就在這時，一位資深攝影師告訴我：「像妳這樣凍了一整天，回家即使開暖爐或蓋毯子，骨子裡都還是冰冷的，最好一回去就把浴缸放滿熱水，好好泡個澡。」

聽到這個建議，我先打電話給母親，在我到家前幾分鐘將浴缸放滿熱水。我一回到家就馬上衝去泡澡，當冰凍的身體浸在溫暖的水中，那種連五臟六腑都很累的疲勞消失了，全身被一種滿足感環抱，不誇張，我好像找回了生命的充實感。

我覺得自己一整天快被寒冷、壓力和疲勞給折磨死了，但就因為這麼一個簡單的小動作而感到活了過來、如釋重負。只不過是泡個澡，我就像發現什麼生命奧祕一樣興奮得不得了，那一刻的體驗如此美好，讓我之後每逢寒冬出門，回家一定會泡澡，撫慰一下身心。

如果你的家裡沒有浴缸，那就打開蓮蓬頭的溫水，不疾不徐的好好淋浴。洗澡對很多人來說只是清潔身體的過程，但我們從現在起，不妨把它當作一種鎮定身心的儀式，安慰辛苦了一天的自己。

幸福的標準是「頻率」，不是「大小」

你在日常生活中，什麼時候會特別感到快樂？或者你平時有沒有什麼小習慣來讓自己開心？其實，不快樂的理由很簡單，因為我們老是把快樂的標準訂得太高——

我要通過考試、要升職加薪、我支持的球隊要贏得冠軍、我要獲得別人的肯定並且賺很多錢……我們不斷付出努力去爭取遙遠的目標，但即使達到目標，所獲得的快樂也很難持續很久的時間。並不是說你不應該有目標，而是我們在追求目標的同時，也應該時刻關注身邊的小確幸。

對於快樂的標準越高，它就離你越遙遠；越能注意到身邊的小確幸，它就離你越近。

談到幸福時，我認為**頻率**比大小更重要。就像我們在本書一開始說的：「幸福是你所發現的東西，而不是追求的東西。」

我常常吃的早餐、照耀我的陽光、願意聽我傾訴的朋友、我喜歡的事情……從日常生活中尋找這些我們認為理所當然的時刻，敏銳度越高，你的快樂指數就越高。

有些人覺得，在冬天晚上蓋上柔軟的棉被時，會感到幸福；而有些人說，早上醒來擁抱自己的寵物時，會感到幸福。

世界上有多少人，小確幸的種類就有多少種。

　　對我來說，我喜歡每天早上實踐自己的小目標，以我喜歡的、為我自己量身打造的好習慣開始一天的生活，能讓我瞬間就快樂起來。這樣做的好處是，它讓我覺得我可以「掌握」自己的快樂。

　　提早上班，和同事聊一會兒；一邊沖泡咖啡、一邊聞著咖啡的香氣；去上班的路上，從地鐵往外眺望漢江的景色……當這些都成為我的生活好事，那麼也就變成我的快樂時刻。

　　從日常生活中找出屬於自己、各式各樣小確幸，只要找到一個小小快樂，就把它稱為「快樂習慣」。

專注在水流上，讓淋浴成為充電的時光

　　淋浴就是一個人人都可以做到的「快樂好習慣」。淋浴比泡澡更省時省力省錢，每天都可以做到。雖然淋浴的目的是清潔，但即使一分鐘也好，建議你靜靜的保持不動，讓水柱沖刷身體。

　　這時，請專注在水流上，其他什麼都不想。把你所有的注意力集中在水接觸身體的感覺、水溫變化，以及水流的聲音。

　　水傾瀉而下、沖洗身體，接著從排水孔流出去。如果這時候腦海中正好有一個無解的煩惱，你可以試著這樣想像：**它被溶解在水中，並透過排水孔流出去了。**當你站在不斷傾瀉而下的水中，水流自然會淡化和稀釋那些糾結的煩惱。

　　早晨的淋浴不必急著搓泡泡，沒有人催促你，把這段寶貴的獨處時間，變成「洗去煩惱、澄清思緒、為心靈充電」的時間。

　　有些人說洗冷水澡可以讓人頭腦清醒、提升專注力，在身體還沒習慣之前會覺得不舒服；然而，冷水帶來即時的刺激，這種小痛苦反而會釋放壓力荷爾蒙，可以為身體帶來活力（前提是室溫不會太冷，請注意避免感冒）。

　　冷水澡的效果類似於跑步超過三十分鐘所產生的「跑者高潮（Runner's High）」原理，某些時候甚至可以振作情緒，利用這短短的淋浴時間，可以喚醒你的大腦，做事情也會更有效率，有興趣不妨一試。

Day 15 今天的一分鐘原子目標

第一步

早上醒來後立刻淋浴,讓水流沖身體一分鐘(如果最近壓力很大需要放鬆,請洗熱水澡;如果你想刺激大腦恢復活力,可以洗冷水澡)。

第二步

淋浴時,不要想著今天要做什麼,只專注在水接觸身體的感覺。

第三步

想像一下,你內心所有的煩惱和擔憂,都溶解進入水中,隨著水流一起流進排水孔。

第四步

身心被洗滌過,帶著更輕鬆的心情開始一天的生活。

挑戰大事之前，
好好摺棉被是最容易成功的小事

「我就是爛」的世代？

我在大學當教授時，最關心的是「該如何激勵學生？」，有的人心態開放，積極嘗試新事物，會主動參與課堂或學校的大小活動，被指派任務也樂於挑戰；但也有一些人抱持消極的態度，聽到各種活動能躲就躲，只要能拒絕就先推掉再說。其中有一位學生令我難忘。他的成績遠低於標準，很可能只能拿到 F，於是我提出讓他有補考的機會，他是這樣回

覆我的：

「可是，如果我重考又低於七十分的話，不是也一樣得F嗎？何必浪費力氣，老師還不如直接給我打F就好。」

他已經先內建「反正我會失敗」、「本人程度就是這麼差」的負面思維，即使有第二次機會，他連試都不願意嘗試。

我還看過很多實習生，在他們跟工作五年以上的前輩交流之後，不但沒有獲得激勵，反而一個比一個沮喪。他們越想越害怕：「天啊！太難了吧！我沒有信心能夠和前輩一樣勝任這份工作，我不想去動物醫院了。」

看到這些學生出於恐懼心理而畫地自限，連半步都沒踏出去就先放棄，這令我相當難過。

一邊行動，才能一邊收集新的寶物

為什麼有些學生沒有被要求也主動接受挑戰，而有些學生則是無論你怎麼拚命鼓勵，他們都寧可先逃避再說？

這個問題的答案不只一個，遠因、近因各有許多複雜的情況，包括天生的個性氣質、童年時期受到的教養方式、與養育者的關係、生活中的經歷等等；但無論如何，一旦恐懼失敗的負面因子在心裡發酵，將一步步腐蝕信心，「擔心－

拒絕－僵化－繼續擔心」，這種念頭會演變成不斷拉扯自己後腿的繩索。

　　一個人長大之後，天生的個性與童年經驗已經無法改變，但往者已矣、來者可追，我們當下能做的是自己給自己機會──**創造更多好的新經驗當作踏板。**

　　於是，我盡可能讓學生在畢業前接受各種課程內或課外的挑戰，利用大大小小的機會，一次又一次累積成功經驗。就像電玩的主角必須一邊行動、探索，才能一邊收集寶物，我也讓學生做一些他們可以達成的事情，並不吝於讚美他們。

　　以課堂上的制式作業為例，有表現好的，一定也會有表現比較差的，成績不佳的學生有時難免會感到自卑，因此我盡量按照學生的個別情況去指派適合的任務。當然，這需要事先投入很多時間備課，花費心力去設計作業，對學生也必須有更深入的觀察，所以我只能在自己能力範圍內盡量去做。

　　但機會不一定只出現在課業的學習上，舉一個小例子：有個學生有社交障礙，他與不熟悉的人談話有困難，我請他幫忙的第一個「破冰」小任務，就只是去辦公室取回文件──沒錯，就是這麼一件聽起來超簡單的事，但對於極度內向和社交能力弱的人來說也有點挑戰性，他甚至要深呼吸才能大方踏進辦公室，但只要試過一次，第二次就容易得多。

重要的是在他幫上忙時馬上給予回饋,我讚美他:「謝謝你,你果然可以做得很好。」

再小的成功也能讓人上癮

這些微小的成果,只要一個接一個不斷堆疊,即能變成啟動正循環的踏板。我想跟學生分享的想法也是如此,達成任務後,美好的經驗值能提升自我效能,大腦喜歡這種滿足的感覺,心理衍生更多勇氣,自然願意接受下一個挑戰,這是好體驗的複利效果!

你也是一個習慣自己嚇自己的人嗎?有些人連很小的事都不想挑戰,擔心一旦失敗就會完蛋,彷彿世界跟著分崩離析。我想分享幾個思考方式,或許可扭轉這種「我不知道自己能做什麼」的無力感:

首先,「成就」不嫌小:成功的感受會讓人上癮!就算是很小的成果,只要嘗到成功的滋味,大腦就會想:「咦,其實沒我想的那麼困難嘛!」就算搞砸了,冷靜一想,失敗的後果和挫折通常也沒有我們想像中那麼嚴重,而且多數是可以承受的。

第二,把時間拉長來看:幾周、幾個月過後,許多情緒

都會被時間淡化。就像卓別林的名言：「所有的人生故事，近看都是悲劇，遠看都是喜劇。」

　　第三，善用失敗創造的契機：等情緒過去，再回頭檢視過程，失敗經驗值有時甚至比成功更有討論的價值，並且對未來的生活有很大的幫助。因為在「收集挫敗」的同時，我們不知不覺也對這個世界產生一種堅韌的態度，「懂了！原來我這樣做是行不通的」、「下次要換條路走走看」、「更困難的事情我都克服了，這不算什麼」。

　　有試過，才知道好壞。如果我們受限於各種憂慮而原地踏步，最後只會剩下一種模糊的恐懼：自己永遠搞不清楚究竟害怕什麼？走哪條路會看到什麼風景？前方有什麼？你終究一無所知。

　　不只是對自己，對於家人、孩子、朋友、學生等任何我們關心的人也是如此，太多的「擔心」會帶來更多的「擔心」，彷彿變成一種念力詛咒，還不如放膽踏出去嘗試，必有所得。

先別操心大挑戰，只做到今天可以做的事

　　我常覺得，談戀愛應該是人生經歷中最重要的事之一！你有沒有跟戀人分手的痛苦經驗呢？說來殘忍，但只要體會

過一次，對人生的感悟會有很大不同。

在經歷過痛苦的分手之後，有些人很可能好一段時間都不願意再談戀愛了。還有些人因為太害怕再度受傷，乾脆隱藏自己的感情或拒絕主動付出，但是在一段感情關係裡，這些人往往無意中會為成欲擒故縱的主角。他們不是刻意要玩弄感情，會變成這樣多是出於內心的恐懼。

即使被戀人背叛，也可以瀟灑轉身說：「哼，其實我也沒那麼喜歡你。」這種念頭是由潛意識創造的心靈保護機制，也是減緩自尊心受傷的最簡單方法之一。然而，過度的自我保護，有時也將錯過最真摯的關係，有些事，只有那些曾經徹底敞開心扉、無懼受傷的人才能完全體會——那是一種從互相信任中萌生的快樂與自由。（當然，這不是鼓勵大家完全放任戀愛腦左右判斷力，在義無反顧的付出之前，還是得睜大眼睛選擇一個值得信任的好人。）

你是哪一種類型呢？是太擔心受傷，所以乾脆在自己的保護殼裡躲好躲滿的人？還是一個願意對他人最大程度釋出信任的人？如果你自認為更接近前者，那麼我想鼓勵你，先不談論感情或工作這種程度的「大挑戰」，只要先做一些當天就可以完成的、很個人的小事情就好。

要怎麼開始呢？我最推薦的首選是運動。一個每天都能

保持運動習慣的人，很容易成為一個韌性強大、願意接受挑戰的人，而且能創造各種肉眼可見的進步。運動不用花大錢，也不用設定厲害的目標，像是每天走路三十分鐘、每天早上做伸展操，從培養一些新的小習慣開始，目的是幫大腦創造一點新刺激，也先試試水溫。

如果覺得運動真的很困難，那我的第二個建議是：**先從一起床就摺棉被開始吧！** 不要小看一個微不足道的動作，今天把棉被摺得漂亮整齊，也許明天會想洗洗床單，後天又把床鋪周圍都整理得更順眼。做了再說，當你不斷嘗試，總能發現想要什麼、喜歡怎麼做、什麼更適合你，以及擅長的事情是什麼。

請記得：你有兩個選擇，一個選擇是被剝奪各種機會，因為你甚至沒有去做任何嘗試；另一個選擇是，先去做能力範圍內的事，再循序漸進給自己的身心體驗各種滋味的機會，萬一踢到鐵板、遇到倒楣事了，那就安慰一下笨拙的自己，第二天再試一次，並誇讚自己很勇敢。

今天就從「摺棉被」做起，把床鋪整理成看了會心情清爽的樣子，就是好的開始！

Day 16 今天的一分鐘原子目標

第一步

早上醒來後,立刻整理棉被、拍拍枕頭。

第二步

沒時間就用想像的,現在你用「心靈吸塵器」將你躺過的地方吸過一遍,把昨天所有的煩惱雜緒都清除掉。

第三步

「我把棉被摺得很順眼喔!」帶著更輕鬆的心情開始一天,心變輕盈,什麼事情都能舉重若輕。

幫心靈掃除，
挑出無感的東西，清掉它！

不知道該怎麼做時，有一做一

　　幾年前，我寫了我的第一本書《原子時間》。當我夢寐以求的作品出版的那一刻，我的心怦怦的直跳，但同時也感到很恐懼。我擔心得到負評的焦慮，遠勝過我想寫出一本好書的心意。寫作的過程中，我時時刻刻想著：「我有那個資格去幫助別人嗎？」我知道我的書在書店被歸類為「自我開發書籍」，這也使我深深陷入完美主義的糾結裡。

　　我不斷檢討自己做過的事，思考我的經驗能否成為榜樣，我不想被讀者挑剔——完美主義讓我「全都要」！我想寫出真正對人們有助益的實用方法，有野心寫出創新的點子，期待文章內涵優美動人，也盡可能想蒐羅更多資訊和客觀的統計數據。但或許因為太過貪心，我沒有把握好寫作的方向，寫到一半回頭看，我只看到滿滿的貪婪！我感到很困惑，甚至停筆了一個多月。

　　後來我下定決心，既然是第一本書，那乾脆只訂一個目標就好。我想到了我的母親，她非常喜歡看書，但她不喜歡用艱澀的文字反覆闡述同一件事的書，她喜歡的書，敘述方式偏向明快流暢。於是，我重新開始，目標是「簡單明瞭的寫下我所知道的事情」。

　　我盡可能放下膨脹的野心和貪念，只專注於用簡單的句子寫下我最了解、最有把握的內容。不知不覺中，我完成了手稿，並出版了後來賣出其他六國版權的《原子時間》。

　　回到新書在韓國出版的第一天，我非常興奮，但也極為恐懼。說真的，我心裡最大的感受就是擔心——我怕大家不喜歡這本書，但同時，我也很好奇讀者的真正反應，於是從那天起，我搜尋了許多部落格和網路書店的相關介紹或評語，沒想到與我的擔憂相反，正面評論遠多於負面。很多人說他

們喜歡那本書，因為它平易近人、很容易閱讀，看起來很舒服。我想，只專注於一件事，我的「簡單寫作」策略奏效了。

搞清楚，現在的第一要務是什麼？

我想大家都知道，當思緒越繁雜，就越要屏除貪念，只專注於眼前目標，但是真正面臨狀況時，我們會發現自己在徬徨之下什麼都想掌控，結果卻適得其反。動物醫院的工作更是如此！我的職責是治療動物，但同時間需要考慮很多事情，包括我必須讓老闆滿意、要配合其他同事、要應對飼主，這些林林總總的因素會影響我採取的治療方向。

這個時候，我會提醒自己恢復冷靜。首先我告訴自己：「只要想著動物就好。」沒錯，我要考慮的事很多，但是那一分鐘，必須堅定確認第一要務是什麼，我才能毫不猶豫向前邁進。

當我擔任教授時也是如此。教授的工作大致分為研究、管理和教育，範圍比想像的更廣泛，但這些工作內容每天會被切割成非常瑣碎的小項目，包括要約談很多人，要兼顧許多單位和人的想法、進度、需求。舉例來說，在為學生規劃課外補充課程時，要列出預算、執行辦法，也得評估我的工

作量，以及在現場的效果——這是不是學生會喜歡並覺得有趣的課程？是否可以聘請到合適的講師？是否可以在既定的課程中，讓他們充分消化內容等。除了這些，在現今還要考慮另一個社會大眾更加重視的成效：這些課程能否幫助學生們就業？

要規劃出一個百分百完美符合以上要求的課程，幾乎是不可能的，當事情要考慮這麼多面向，我必須問自己：「目前這堂課、這個計畫最重要的第一要務是什麼？」

我相信只要學生願意，在學校能學到的東西很多，最棒的狀況是既能獲得實務的專業能力，也能學到探索知識系統的鑰匙。而對我來說，我是獸醫專業的教授，我的目標是「當學生畢業出社會，他們能否學以致用？能否發揮自己的專業？」簡單來說，我希望學生們在畢業找到工作後，他們碰到的上司、老闆能夠對他們說：「你真的在學校學到了很多東西啊！」

這就是我教學時最明確的準則，以此為依據，即使發生什麼變數也不會讓我猶疑不定，碰到我不太了解的領域，或是需要花費心力和時間規劃的課程，只要我認為對學生的未來有幫助，我就會繼續進行下去。

做任何決定時，先保持中心思想，對事情的優先順序明

確劃分，其他的枝節就不用太擔心，自然能水到渠成，如果沒有這個原則，我可能會犯這樣的錯誤：一遍又一遍，只能像念稿機器一樣，不斷重複教授學生熟悉的內容，但缺乏與時俱進的思考。

一個月一次，斷捨離你無感的東西

我的感官很敏感，對於各種外界的刺激很難忽視，因此我更喜歡待在安靜、空曠的地方；我的口味很清淡，喜歡吃簡單的食物；我雖然喜歡有舒服香味的地方，但如果氣味太濃郁，我很快就會聞膩。還有，當我面前擺著一大堆物品，即使沒有人動它們，我仍會感覺好像有一種引力讓它們快要彼此碰撞發出噪音，雖然沒有任何聲音，對我來說也會變成一個「吵雜」的空間。

在忙碌的生活中，我們總覺得自己休息不夠，也不容易另外「偷時間」去休息，這代表我們需要簡單化，減少日常生活的消耗能量，否則我們就像一台沒有使用也永不關機的電腦，永遠保持電源開啟的狀態，能量也持續被消耗殆盡。日常生活環境帶給我們太多的刺激了，想像一下，如果家裡髒亂到不行、垃圾雜物障蔽了所有空間，一眼望去，你根本無從

分辨空間裡有沒有長黴菌還是爬滿蟑螂；反之，如果井井有條、窗明几淨，角落裡有點異狀都會立刻引起你的注意。

心也是如此。如果你的思緒雜亂無章、想法永遠跑不停，你可能容易忘記重要的事情，或者忽略了自己的心裡有一個缺口。這些外在物品，正是擾亂心靈的事物之一，當我們囤積太多超過需要的東西，就得花費大量精力去整理挑揀，對於精神的消耗自然也很大。

你可能會想，那就先不管這些東西，擱著就擱著吧，別花力氣整理就好啦！但即使只是靜靜待在凌亂的房間裡，什麼都不做，光是眼前大量的雜物，仍會損耗一個人的能量。因為視覺接收太多不必要的訊息，也會干擾專注力，而且，如果東西太多，我們很難在需要的時候輕鬆找到適合的東西。簡單來說，**當眼前有太多選擇，就等於多了很多障礙物**，令你不知不覺感到疲倦。

與同齡女性相比，我的包包和鞋子非常少。根據不同用途，包包和鞋子都是極簡化──一個工作背包、一個外出包包和一個旅行箱；鞋子也是一樣，我各只有一雙運動鞋、高跟鞋、涼鞋和靴子，如果運動鞋很舊不好穿，我會把它汰換再購買新鞋。所以，無論是包包還是鞋子，我都會選擇可以和任何服裝搭配的簡單設計。如果我有太多包包，每天出門

得精挑細選，要換包包也是很費神的事情，必須將許多必用物品從一個包包移到另一個包包，有時還可能忘記裝重要的東西而陷入麻煩。

這本書的理念是，「如果你用一分鐘的小事開始新的一天，會改變你的一天甚至人生」，但我的另一層意思是，在生活中創造並維持好習慣的最佳方法：**將你要做的事情減到最少，只留下真正重要和有感的事情**！無論是物品、人，以及要做的事情皆是如此。

每個月一次，整理出你不需要的東西，或是你無感的東西清掉。

對我們來說，時間和精力是最珍貴的資源，如果你在做重要的事情之前，先挑出不重要的事情並排除它，會越來越清楚對你來說真正重要的是什麼。另外，當你習慣處理不必要的東西，你在購買新東西時絕對會更加深思熟慮！

請記得，多數時候，我們缺乏的不是商品和服務，而是睡眠和運動。

Day 17 今天的一分鐘原子目標

第一步

下定決心,每個月一次挑出無感的東西、根本用不上的東西。

第二步

前一天晚上打包好要扔掉什麼,然後事先放在門口,不要給自己拖延的機會。

第三步

早上上班時,把它清掉或捐出去更好,能找到比你更需要它的人,就是最棒的分享,你也會因此而喜悅!

一分鐘聆聽頌缽，
跳脫慣性的陷阱

誰是連狗狗都瞧不起的人？

　　我一直在寫關於如何放鬆身心、如何更快樂一點的文章，但這篇要說一些可能會讓人不太愉快的事情。

　　當我還在讀獸醫系時，曾在一家動物醫院實習。「胃擴張扭轉」是一種經常發生在狗狗身上的病症，特別常見於體重超過二十公斤的中大型犬，其症狀是胃部扭曲、阻塞十二指腸的通道，從而導致逐漸腫脹。

　　有一次，一隻珍島犬出現了這些症狀，牠被送到醫院時幾乎不能呼吸，情況危急到需要緊急手術，但由於一直沒辦法聯絡上飼主本人，我們決定先進行緊急救治，將管子插入口腔以排出胃中氣體。當醫生把管子塞進牠的嘴巴時，被驚嚇到的珍島犬用力咬住了醫生的手，當下我們還沒反應過來，被咬住的醫生反射性的踹了狗狗一腳。

　　事情就發生在一瞬間，雖然我們沒有動物讀心術，但珍島犬在這種情況下咬人的原因很明顯——牠非常痛苦，胃部扭曲、幾乎無法呼吸，牠以為醫生想傷害自己，所以儘管呼吸困難，牠還是用最大的本能做出反擊。

　　當下另一位醫生趕緊上前幫忙，才讓狗狗順利接受治療。被狗咬傷的醫生無法釋懷，氣沖沖大罵：「牠居然咬人、把我當什麼了？看不起我對吧！」「這種狗需要嚴格訓練，才不會再亂咬。」他認為被狗咬傷絕對是一件非常非常丟臉的事情。

　　通常遇到這種情形，在被咬到的瞬間憤怒又恐懼是很正常的，但只要短時間內解除危機，專業醫師多半能理解這只是一個意外，就像在開車時，後方突然發生一連串的追撞，導致你在莫名其妙的狀況下遭受池魚之殃，車屁股也被碰撞到。但這位醫生平時就容易暴怒，即使是沒什麼大不了的小

事，他也常懷疑為別人都看不起自己。他常對後輩和同事亂脾氣：「你們覺得我很可笑嗎？都不把我當一回事嗎？」這種人色屬內荏，心裡的想法是：「好啊！狗看不起我，後輩、前輩，甚至街上遇到的路人也都在嘲笑我。」

這個誤以為「全天下都看不起我」的人，因為有心魔，情緒老是處於爆發邊緣，而別人無心的一句話、掃過一個眼神，都令他難以忍受，可想而知，他怎麼可能過得順心？這樣的人，在生活中會感受到許多痛苦。

有意識的閃開「第二支箭」

我在四年前認識我的冥想老師。他說過最令我難忘的一句話是：「**因為你看得不對，所以痛苦；看對了，就是幸福。**」

不管發生什麼事，如果你只看它原本的面貌，不扭曲事實、不放大惡意，就不會那麼痛苦。然而，要如實看待世界可說知易行難，否則人人都可輕易超脫了！於是我開始研究各種能更客觀看待事實的方法，對我來說，其中有兩種最為有效：**第一是心理學的認知行為療法，第二種是冥想。**

首先，認知行為療法是現代最受歡迎的心理療法，簡單來說，就是一種矯正歪曲思維的方法。

我們用前面的例子來解釋：「被狗咬」是事實沒錯，手會流血、受傷、感到疼痛——但事實也就僅止於此。然而，醫師在被珍島犬咬到之後的解讀是「那隻狗看不起我」。他的認知慣性是，「不管對方做了什麼，都是鄙視我」——即使那一次事件的對象是一隻珍島犬。

同樣的情況下，有人會哀聲嘆氣說：「我為什麼這麼倒霉被咬？」也有人可能會說：「我說我不想做，是院長叫我去的，結果變成這樣，院長總是叫我做有危險的工作。」

但無論是哪一種，在佛教中，上述這些念頭都是「**第二支箭**」。如果說中第一支箭（被咬）在劫難逃，那麼第二支箭就是因為你添加了無謂的觀點而導致自己陷入痛苦，可以說，你是「自願挨第二頓打」。

第一支箭是意外，發生就發生了，但是我們可以透過認知行為療法和冥想練習來避免第二支箭。

一種方式是透過心理諮商，諮商師會幫諮商者分析，為什麼會形成這樣的認知習慣，並引導他們意識到自己中了第二支箭。知道問題源頭，就比較不會動不動又喊出「那隻狗看不起我」，而是能意識到「原來我又以為自己被鄙視了，這都是因為錯誤的思考慣性造成的」。

無論發生什麼，如果能理解、接受事件原本的樣子，不

再中第二支或第三支箭,那麼就代表認知行為療法是有效的。不過度解讀發生的事實,不輕易「想歪」、避免鑽牛角尖,憤怒情緒就會逐漸減少,生活也因此變得更輕鬆、更明朗。不過,認知行為療法的缺點是需要安排時間前往診所,而且諮商費用通常不便宜。

專注於身體感受,而不是壓抑思緒

我們在 Day2 提過冥想的好處,而這也正是第二種能讓自己回歸中庸正念、讓煩雜心靈安靜下來的好方法。透過冥想來平息各種思緒,能更容易覺察自己的心理慣性,也就能預防第二支箭的傷害。

回想一下在圖書館讀書的情況,如果環境吵吵鬧鬧,我們難免會受影響,思緒一被打斷,得努力收心才能專注唸書。同樣的,想要深入觀察自己的內心,就必須一一放下各種念頭,尤其是那些被扭曲的、被認知習慣放大的想法。

平常試著在一個安靜的地方,花點時間觀察自己腦海中會浮現多少思緒,只需短短幾分鐘,你會發覺自己耗費大量精神關注在無用的事情上,並且用各種雜亂的念頭自我折磨,但這些都是這正常的,不需要刻意壓抑,我們要引導被困住

的心平靜下來，練習只專注於一件事情，請記得——**這時候要專注於感官，反而不是思緒。**

換句話說，我們要注意的是身體的感覺，例如視覺、聽覺和觸覺。

頌缽聲是很棒的中性媒介

今天，我想從聽覺的冥想習慣開始。鐘聲、頌缽是最普遍、最知名的聽覺冥想工具。在 YouTube 上搜尋「頌缽」，影片都會出現一個看起來像黃銅的碗，發出帶有回音的「噹～噹～」。從中選擇你看起來舒服的影片（或音檔），這些聲音是能幫忙解開思緒、專注於感官的絕佳媒介。

冥想時要避免有旋律和歌詞的聲音，因為頭腦會專注於旋律的高低律動，或忍不住聽歌詞的內容，這些音樂或歌曲都會帶著想法偏離，讓你的腦中不自覺浮出主觀的想法或意見，也就偏離了冥想的目的。

頌缽或鐘聲是中性的聲音，沒有任何意義，它能讓你專注於聲音本身，而不會迷失在雜念中；其次，由於持續響起「噹～噹～」的聲音，即使中途專注力跑掉，也可以重新被鐘聲喚回，再次進入冥想狀態。可以說它本身也像一個鬧鐘，

這就是為什麼我強烈推薦初學者進行頌缽冥想。

一開始，你不需要刻意擺出不習慣的盤腿姿勢，時間也不需要很長，只要早上一醒來，坐在原處（或者可訂一分鐘或三、五分鐘的鬧鐘，避免自己因牽掛時間而分心），播放頌缽聲音，然後閉上眼即可。冥想前可參考 Day2 的注意事項，但現在只須記得最關鍵的一點：**今天，就把專注力放在聽覺**，腦中有雜訊也無須制止，讓它跟著聲音自然飄過。

如果你聽說過很多關於冥想的好處，但因為擔心很難而不敢嘗試，或者自認容易分心而沒有自信能長時間冥想，那不妨從今天開始，體驗頌缽冥想的好處吧！

Day 18 今天的一分鐘原子目標

第一步
前一天先選好喜歡的頌缽影片或音檔。

第二步
早上醒來後，坐著播放昨天選好的頌缽影片。

第三步
花一分鐘，將所有注意力集中在頌缽的聲音上。專注於耳朵，感受從鐘聲響起「噹～」的粗獷和厚重感，以及聲音共鳴到最後逐漸消失的感覺。

第四步
感受心情變輕盈，以澄淨過的心情開始新的一天。

※ 剛開始時只要進行一分鐘左右的輕度冥想，然後再逐漸增加時間。嘗試幾次後如果覺得不錯，不妨購買一個頌缽。真正的頌缽聲與影音檔案不同，聲音的振動會直接傳遞到身體內，真實感受鐘聲的共鳴比影音檔更棒。

把你認為重要的事情，
放在想像的山谷裡

你這麼努力，然後呢？

　　韓國在這幾年出現了「GOD 生」這個新造詞，在二十、三十歲的世代中蔚為流行。這個複合詞結合了韓文的「God（神）＋ Life（生命）」，God 作為前綴詞，對韓國年輕人來說意思是很美好或很酷──什麼樣的生活很酷呢？就是每天付出一點規律的努力，在能力所及內打造有品質的生活。

　　例如，每天一大早起床讀書，認真學投資理財，以實現

財務自由為目標；或為了達成「不花錢的挑戰」，勒緊褲帶，找方法把錢省到極致，不浪費一分一毫。為了存下更多的錢，很多人擬定具體的賺錢和存錢計畫，包括詳細研究投資組合，了解第一線金融機構和儲蓄銀行的最佳利率存款商品，閱讀相關書籍，看 YouTube 投資頻道以增廣見識……但是，有多少人真正知道這麼拚命存錢的目的是什麼呢？當你問人們：「你這麼努力打拚，然後呢？」或者「賺到錢以後，你要做什麼？」答案往往很模糊。

　　我聽過多數人的回答是，財務自由就可以盡快退休，能有更多時間陪伴家人、到處旅行，總之可以享受不用為月薪折腰、沒有工作壓力的悠閒生活。但事實上，即使現在就擁有大把空閒的時間，他們通常也不太會去實踐那些想像中的計畫。

懂得排序，才是真正的活在當下

　　我認為獲得快樂的方法是「**當下，而不是以後**」。為什麼會對快不快樂這件事情感到擔心呢？當然就是因為「現在」不快樂。如果對自己的生活感到滿足，那就不用擔心了，不平則鳴，正因為感覺每天都過得很苦很累，所以才不斷努力想讓自己快樂一點。

　　我和大家一樣，一直試著在各種「成就」中尋找幸福感，每天覺得必須完成些什麼，於是不斷增加待辦事項，「之後」要做的事情也越積越多。我曾經忙到把每一個小時細分成「六十個一分鐘」來分配時間，如果沒有得到滿意的成果，我會責備自己。有時候身體狀況不好、工作效率下降，我會吃各種營養補充劑，但如果效果有限，身體狀況沒有明顯改善，我反而會非常沮喪。

　　也就是說，我不懂得取捨，當身心沒辦法配合我的工作節奏，我會對自己非常生氣。那一陣子，我的生活分秒必爭、行程十分緊湊，導致我出現職業倦怠。我去看了心理醫生，對他大吐苦水：「醫生，我現在的狀況很差，好像該做的事都沒辦法順利做完，我對自己這麼沒有效率感到很生氣。您可以幫幫我嗎？」我說完這些話之後，醫生用非常輕鬆的語氣告訴我：「工作效率不如預期，又怎麼樣？」

不是缺了什麼，而是內心感到匱乏

　　這句話聽起來很輕快，但實際上怎麼做才能停止那些擔心，在「當下」也感到快樂，而不是把心情寄託於未來？我學到的一件事就是「**放下我認為重要的事**」，也就是那些我

以為必須要完成的事、我以為不照計畫去做就會有大麻煩的事，這不代表我不想負責任，而是因為我發現，重要的事其實沒有想像中那麼多！把這些東西一一丟掉，並沒有毀掉我的生活，反而讓日子變得越來越輕盈。

我常想那些「重要事項的待辦清單」是怎麼長成現在的樣子、為什麼會越來越長？我發現，答案是因為我無法忍受缺乏某些東西，尤其當別人擁有而自己沒有的時候，我不願忍受那種相對匱乏感，我跟自己說至少不能輸給別人，要盡最大的努力去爭取。

這也就是為什麼我們對各種「進步」和外在的「成就」上癮。

如果你一刻也靜不下來，把所有時間都花在提高生產力，拚了命也要讓工作更有效率，那麼你有可能已經上癮了。當我們處於這種情況，可先了解自己的匱乏感從何而來，盡量不要把注意力集中在「沒有的事物」，而是去辨識自己的「空虛感受」。讓我舉一些例子：

- 我沒有衣服可以穿，也沒有鞋子可以穿。
- → 原來我是那種覺得自己東西不夠多的人。
- 我沒時間。
- → 原來我會想一直找事做。

- 我沒錢。
- → 原來我總是覺得我的錢不夠花。
- 我不喜歡我的長相。
- → 原來我對自己的外表不滿意。
- 為什麼人們對我不太熱情？
- → 原來我希望被別人關注。
- 我覺得別人都過得比我好。
- → 原來我會拿自己和別人比較。

放下，不是壓抑

如果你在每次出現匱乏感時，意識到「啊，原來我是覺得自己缺少○○○、原來我不滿意是因為我想要○○○」，代表你又更了解自己一點。因為能夠意識到這些，表示你可以客觀看待自己，並且有機會做出改變，先了解自己想要填補的感受，才能放下那個念頭。

不過，我們必須區分**放下**和**壓抑**的差異。

我們用買東西當例子。當你看到一個東西好想買啊，但又覺得很有罪惡感，這時如果刻意這樣想：「雖然想買，但這個東西引起我的匱乏感，這不對，我不能被貪念打敗，我

不能買！」這不是放下，而是壓抑與對抗。

　　當你出現這種壓抑的心態，不妨先往內心的方向思考，轉換一下想法：「啊～原來我老是感覺自己東西不夠多，我好像需要擁有更多才能填補內心的空虛、讓自己開心。」當你這樣想，同時也就讓那些「我不能被打敗」的念頭靜靜消逝，看起來目的一樣都是「不買」，但「放下」不需要強迫自己用意志力。我認為「放下」的意思是逐漸鬆開緊握的手，它和壓抑是完全不同的。

　　如果你手裡先緊握著一個重物，然後把它放在地上，你會有什麼感覺？你會變得很輕鬆，就是這種確定的感覺！能掌握到這種感覺，就不會再因為匱乏感而動搖，你擁有的就是你的，你沒有的就是不屬於你的，漸漸的學會接受現況，理性面對而不會患得患失。

　　我喜歡水，所以我喜歡想像夏日深山中的溪水。我把我認為重要的東西，放在山谷裡清涼的潺潺流水中，然後，讓它順著溪水沖走，流向遠方。

Day 19 今天的一分鐘原子目標

第一步

想一想你原本認為必須完成的一件重要的事。

第二步

大聲說出：「事實上，它沒有我想像中那麼重要。」

第三步

放下那件事情。方法很簡單，你只需要想像溪水在你的腦海中流淌，讓水沖走你一直緊握在手中的那個「重要東西」。

第四步

想著你放下的事情被溪水沖走，並流向遠方。

找出恐懼的「幻形怪」：
列出你最害怕的事

我內心未知的恐懼：怕缺錢！

在我滿三十歲時，第一次離家搬出去住。當時我周遭有不少朋友也是剛展開獨居生活，他們充滿了嚮往，忙著添購家具、花很多心思打理自己專屬的小天地；但我不太一樣，雖然對新生活也有些期待，但我一來沒錢二來沒時間，我只從父母家拿了一卷衛生紙到新家。對我來說，住的地方只要有生活必需品就夠了，那些室內裝飾品可有可無，我沒有太

多興趣投注精力在布置上，房子裡原本有什麼我就用什麼。就這樣，以一種非常極簡的風格開始我的獨居生活。

在搬家之前，我每天早上習慣喝一杯咖啡，但剛搬進新家時沒有快煮壺可以燒水，我就改用大鍋子煮水來沖泡咖啡，因為鍋子口徑大，沒辦法細細的注水到杯子裡，於是我乾脆用湯勺，將熱水一匙一匙舀進杯裡。

有一天，一個朋友來家裡做客，我想泡杯咖啡給他喝，像往常一樣燒了一鍋水。朋友疑惑的問我：「妳要做飯嗎？」當朋友看到我用鍋子燒水，然後用勺子舀起滾燙的開水來沖咖啡，很驚訝的說：「嘿，一個快煮壺也不到三萬韓元，妳賺那麼多錢不可能買不起吧！」

我聽了朋友的挖苦後心想：「我不是捨不得買東西，我只是不喜歡買東西。」

直到後來，我接受心理諮商，才真正明白自己這麼排斥買東西的根本原因，哇！其實連我自己都感到很驚訝——原來在我內心深處，對「花錢的行為」感到很厭惡！而事實上，在不愉快、不情願的外殼下還隱藏著「恐懼」——沒錯，我害怕花錢，看著錢變少，會讓我恐懼。

當你直視陰影，事情就會改變

母親總是把「沒錢」這句話掛在嘴邊。以前我們家的經濟的確不算寬裕，但大多時候，對她來說這更像是一種習慣，一種抱怨式的口頭禪。我記得在我很小的時候，家裡真的很窮，然而，後來經濟逐漸改善，債務都已還清，每個月還能存下一大筆錢，母親依然習慣性的抱怨：「好缺錢啊！」

從小到大，其實我頗討厭媽媽這種抱怨，她老是碎念「錢不夠用」並開始罵人，但長大後的我卻不知不覺像她一樣，對於金錢匱乏有很大的執念，捨不得花錢、甚至害怕花錢。可是，有時我為了發洩怨氣、為了紓壓，反而會無意識的胡亂消費，不但買過很多一整年都用不到半次的無用東西，也莫名其妙去做一些平常不會做的奢侈消費，然後等我回過神來，我會變得很沮喪，責怪自己為什麼這樣亂花錢。

接受心理諮商之後，我體認到自己對金錢的恐懼，所以我決定開始正視這份恐懼。畢竟花錢消費是一件每天都在發生、再日常不過的事情，如果一掏錢我就感到有點不舒服，我會越來越焦慮，每一次的不舒服像滾雪球一樣，漸漸累積成巨大的金錢焦慮，會導致我不快樂。

在我意識到這件事之後，我可以為自己做的事情就是

消除不舒服的感覺，就像冷的時候多穿件衣服、身體不舒服就去醫院看病一樣，要談快樂的方法之前，得清楚檢視自己做哪些事情會感到不舒服，並且了解這種情緒的本質為何。我的對策是，如今要花錢的時候都會刻意保持警惕，誠實面對自己，也察覺自己的不適感，但不再用「浪費」或「小氣」這種負面的標籤評價自己。我甚至在信用卡上寫下「Sati（念）」這個字。「念」是佛教用語，意思是「正念」，安靜觀察自己的思想和內心。

這就像對自己的一個承諾，我會審視心裡在想什麼、恐懼什麼。很幸運的，對於花錢這件事，我如今找到了平衡點去突破心理障礙，例如我會理性控制收入永遠大於支出，不會寅支卯糧；家裡的東西雖然不多，但我只要買了一樣東西就會珍惜，使用很久；我不介意今天穿的衣服和昨天一樣，也不在乎出門背著舊包包。

現在，當我必須買東西時，我的不適感比以前少得多，以前是在該花錢的時候因為捨不得花而不情願，每一次眼睜睜看著錢變少就難受，但是現在已不再讓這些情緒耗損我，莫名的罪惡感消失了，心裡變得踏實，直視內心的恐懼讓我有很大的轉變。

探索恐懼的方法

你會為自己做些什麼來讓自己快樂？感覺怪怪的時候、心裡不舒服的時候，不妨來幫內心的陰影打掃一下。我們內心深處可能早已一層一層累積、埋藏著許多恐懼，今天不妨花一分鐘寫下這些會讓你害怕的事情，可能是日常生活中的事件，也可能是平時感受到的情緒，都試著列出來，像是：

我擔心我無法在期限內完成手稿。

我擔心這本書會得到負評。

我想吃宵夜，但怕吃了會發胖。

下一節課的內容很難，我怕學生們會覺得無聊、沒人理會我。

我要求計程車司機改去另一個地點，但司機沒有回答。他看起來不太高興，我怕他心情不好。

下雨了路上塞車，我擔心我的美髮預約會遲到。

有時這些令人害怕的事情會在一瞬間湧上心頭，但別貪心，一個一個來，先從中選擇一項，看著它、擊破它。以下是我探索恐懼的方法，希望能提供你參考。以「我擔心我寫

的書會得到負評」為例，我不斷自問並自答，問著問著，好像慢慢能摸索出對應之道，看起來也就沒那麼可怕。我給自己的題目是：

- 我為什麼害怕得到負評？
- 我為什麼要寫這本書？
- 我希望人們在閱讀這本書時，會有什麼感受和改變？
- 當我一開始決定寫這本書時，我的感覺是什麼？
- 如果有人給我負評，那麼也應該有人給我好評對吧？
- 我不會只因為不想得到負評，就不寫這本書吧？

盡可能實事求是回答這些問題，不必一味給自己正面的答案，例如刻意自我鼓勵「不會的，讀者一定會喜歡我的書」，也不必說「就算我得到一些不好的評論也沒關係」之類的話來欺騙自己，我們所需要做的只是探索，找出這些恐懼的原因和來源就好。如果你覺得受到自身情緒的影響，很難給出一個中立的答案，那就暫時把它放下，先嘗試冥想，或者乾脆停止思考它。

當然，煩惱沒辦法這麼神奇馬上就消失，但是像這樣不斷自問自答，對我來說另一個很有意思的想法也跟著浮現，

我非常清楚意識到，所有的擔憂和恐懼都出自同一個原因：那就是「**不想被討厭**」的心情，以及「**我想要被愛**」的渴望。

認真回想，我在動物醫院和飼主會面、在學校與學生或教授同事互動、與朋友和戀人見面……都是如此。當我有任何放心不下的事情，或太過在意某件事情時，內心就油然而生「怕被討厭」的念頭，像會幻化成恐懼的「幻形怪」一樣陰魂不散，讓我說話、做事都畏首畏尾綁手綁腳。

研究心理學的書之後，我了解到真正的正向並不是壓抑負面情緒、強迫自己正面思考，而是承認內心消極的一面，接著就事論事、找出對策，這才是真正的積極心態。而且神奇的是，一旦了解自己真正的想法，突然就不那麼害怕了。

試著列出你最害怕的事情，搞清楚那份恐懼的來源，就在早上一醒來時告訴自己：「嘿，○○，我知道你需要愛，今天我會給你滿滿的愛～！」

Day 20 今天的一分鐘原子目標

第一步
前一天花一些時間想想你最害怕什麼。

第二步
不斷問自己為什麼這麼害怕或生氣。

第三步
早上醒來後,跟自己說話。例如:
「○○,你看起來好害怕,沒關係,那是可以理解的。」
「○○,你看起來好生氣,沒關係,那是難免的。」

準備一個笑話，
告訴你的同事或朋友

在動物醫院碰到千奇百怪的人

作為一名獸醫，我每天大約看二十到三十隻動物，而飼主會陪伴動物來看診，所以我每天也至少會和二十多名毛小孩的主人打交道。

也因此，我的病患是動物，但打交道的對象依然是人類，這一點和其他需要與人溝通的職業一樣。這些年，我在動物醫院遇到了各種形形色色的人——有些人會當著我的面大吼

大叫；有些人明明是帶動物來看診但喝得酩酊大醉、說一些令人聽不懂的話；也有些人只是不停啜泣，話都說不出來。

有一次，一名飼主因為寵物的下巴長了幾顆痘痘來看診，他說他的寶貝實在太珍貴了，堅持要住院治療，我只好照他的要求去做。但是，在寵物住院期間，他每天把車子停在醫院附近，透過窗戶監視醫院，還會時不時就打電話來關切，碰到我正在治療別的動物而無法接電話，他會生氣並威脅我說：「我人現在就在醫院門口盯著，我覺得現在病患不多，妳為什麼不接電話？我是○○報社的記者，我會去調監視器，妳給我小心一點。」

聽到這種情況，你可能會以為這個挑剔的主人比較奇怪，應該是特例吧！但其實不是。幾年前，有一名飼主帶寵物來醫院做很簡單的治療，但返家之後上網留好幾則毫無根據的負評。這種莫名其妙的情況並不算少，我們這些在動物醫院工作的人幾乎都遇過，老實說也見怪不怪了，但更令人傻眼的是院長當時的反應。

院長說：「換作是我，我就去那位飼主家門口下跪，跪一整天拜託他刪除負評。喔！當然囉，我的意思不是要求醫生妳要照做。」

當天聽到這番話的同事都嘆了口氣，每個人臉上的表情

無奈而嚴肅，沒有人笑得出來。我只好硬著頭皮打電話給飼主和他的家人，告訴對方是我的錯，請求他們刪除評論，而由於飼主封鎖了來自醫院的電話號碼，我只能用我的私人手機撥給對方。院長的意思很明確，要我想方設法、無論如何都要讓對方刪除評論，他會每天上網站檢查三、四次，如果看到評論沒有被刪除，就會照三餐催促我趕緊處理。

經過一番周折，對方終於願意刪除負評了。我最後一次與飼主通話時，他告訴我：「妳做人可不能這樣啊！」我只能不斷說我很抱歉。

在此之前，我一直認為我做人坦坦蕩蕩、認真治療每一隻上門的毛小孩，沒有對不起誰，但是這件事情對我打擊很大，一夕間瓦解了我的世界，我感到非常無助。為此我辭掉了那間動物醫院的工作，還常常因恐慌症發作而呼吸困難，以至於不得不服用一段時間的鎮靜劑。

用幽默的力量戰勝痛苦

在那之後，我休息了一段時間。後來，我又開始很認真的找其他事情做，但事實上，這只是我對人產生恐懼之後的逃避手段。

又過了一段時間，我到另一家動物醫院工作。這次的醫院是二十四小時營業，我經常工作到半夜，自然也遇到了更多奇特的人，尤其是喝醉酒的人。特別的是，這家醫院有個獨特的文化：對於遇到奧客的醫生，會以輕鬆的方式調侃彼此。

有一天，一名飼主打電話給我，他說很擔心他的貓無法排便，要求我幫牠灌腸，我回答說，如果經檢查之後需要灌腸，我可以幫貓咪做，所以請直接來一趟醫院看看。

結果他卻突然開始對我大吼大叫！他當時大概是說：「妳還算獸醫嗎？灌腸是我的主意，如果妳是專家，妳應該提出一個不一樣的方案吧？不要只是重複我說的話！」

他的言語暴力沒完沒了、持續好幾分鐘，隔天早上他想想很不痛快，又打電話指名找我，質問我有沒有獸醫學位、畢業於哪間學校等等，我免不了又被痛罵一頓。無論接過多少次瘋狂飼主們的言語暴力電話、碰過多少次當面的辱罵，這種事我永遠無法習慣。但這次我的同事們反應不同。

一位醫師聽說了我遇到的事情，他一邊笑一邊調侃我：「柳醫師，妳應該想出一個有創意又創新的方法啊，對方說灌腸是他的主意耶，妳要小心，免得侵犯人家的『智慧財產權』。」他的語氣是溫和而同情的。

我說：「是啊，是我能力不夠，所以想不出有創意的辦法，哈哈哈。」我也跟著他笑了起來。當時在場的每個人都哈哈大笑，他們拍拍我的背，安慰我說辛苦了。

這件事讓我意識到，即使遇到了困難，如果能用一個笑話一笑置之，那也就沒什麼大不了的。當然，這也是因為我能感覺到笑話的背後是同事們對我的鼓勵和安慰，多虧了他們，我在這家醫院工作期間，能夠很快克服惡意投訴和奧客所帶來的困擾和壓力。

俗話說：「沒有幽默感的人，就像一輛沒有避震彈簧的馬車。」幽默這個緩衝墊保護了我。

然而，我的意思不是在任何情況下都可以開玩笑，開玩笑的同時也需要**同理心**，我們必須在不傷害任何人的情況下，講出合宜的笑話，假設當下很多人都在笑，但只要有一個人笑不出來，那就不是一個恰當的笑話。講笑話時，我們需要尊重在場的每個人，才能真正傳遞正能量。

那麼，現在就來揭曉今天的小目標：**請先想好一個可以告訴同事、朋友或任何人的輕鬆笑話，然後才出門。**你可能有機會今天就說出口，也可能沒有，不過，在口袋清單裡裝著一個會令人微笑的笑話，很神奇的，這個準備也能讓你一整天都自信滿滿並充滿期待。

　　講一個從電視看到的冷笑話如何？當你回到家準備躺下睡覺時，如果想起那個笑話，還會噗哧一笑，而當你把這個冷笑話告訴朋友時，你又會再笑一次。

　　準備好讓人微笑的人，自己也會先帶著笑容起床呢！

Day 21 今天的一分鐘原子目標

第一步

想一想你會和哪些同事、朋友、同學、客人等開玩笑？

第二步

想出一個（或上網找一個）讓人聽到後會哈哈笑的笑話。

第三步

有需要就抄下來，把笑話放進口袋裡，然後去上班。

第四步

有適合的機會就分享這個笑話，如果沒有機會，就自己想一遍笑話，然後笑一笑，肩膀也跟著放輕鬆了。

第五步

如果你想不出可以開玩笑的對象，那就對自己講笑話。

事先把你的笑點貼在鏡子上，
刷牙前先笑一個！

擁有「杜鄉的微笑」，好運跟著來

我最近透過朋友介紹，認識了一個年紀比我大的姐姐。有一次，朋友、我和那位姐姐一起聚餐，吃到一半，姐姐說她最近一直在研究算命，於是突然開始幫我算算看。我不是那種很相信算命的人，但聽著聽著也入迷了，我開始問東問西，甚至問她：「什麼樣的男人適合我？」算命的人通常會說「屬鼠的人」，或「八字中帶有某個字的人」之類的線索，

但姐姐卻給了我意想不到的答案。

「這與算命無關，適合妳的人就是一個能經常讓妳開懷大笑的男人。常常笑，運氣自然會好，所以一個經常讓妳微笑的男人，就是一個能為妳帶來好運的好對象。」

真的嗎？是否如她所說，經常微笑，能讓運勢變得更好？

美國有一項研究追蹤分析了大學生們的合照，在學生時代拍攝的照片中，帶有「杜鄉的微笑（Duchenne Smile）」(注)的人，到了五十多歲，不但比其他人更開朗、善於交際，擁有幸福婚姻的比例也高。

什麼是「杜鄉的微笑」？就是當我們微笑的時候，如果除了嘴角上揚，眼周肌肉也笑出眼角紋，看起來眼睛帶著笑意，這是一種具有真誠感的笑容。反之，如果只是嘴角微揚、笑意沒有傳達到眼睛，就是假笑或禮貌性的笑，也是所謂的皮笑肉不笑。科學家認為，當人們發自內心微笑，牽動到的臉部肌肉群，能帶動大腦分泌更多快樂激素。

注｜「杜鄉的微笑」以十九世紀法國神經學家 Guillaume Duchenne 命名。

想控制情緒，先善用身體語言

「微笑，能讓你真的感受到幸福」，這是很常聽到、也是很心靈雞湯的說法，但現實上，演員在上表演課時很常採用這種方法：從身體動作連結到心靈去進入角色。

演員也是我的斜槓身分之一，我常會演出跟自己個性南轅北轍的角色。我是一個內向文靜、說話小聲的人，在第一次學表演的時候，偏偏被分配到一個開朗又聒噪的角色，一開始，無論我多麼用力大聲說話或誇大動作去表演，總是顯得很尷尬，我看起來就像一個膽小的人在假裝勇敢。

於是表演老師要求我，在排演之前先做三十次跳箱運動，不斷重複跳上一個木箱，然後再跳下來，目的是讓我在大動作的移動身體和用力呼吸之際放鬆全身。跳著跳著，我不知不覺變得充滿元氣、不再拘謹，符合角色的活潑感也油然而生。

又有一次，我被分配到的角色是「我是無辜的，但被指控為犯人，我沮喪得快死了」。我又該怎麼詮釋呢？我一直很難進入從鬱悶到抓狂、急得跳腳的情緒之中，於是表演老師找了其他兩名演員幫忙，他們分別站在我的兩側，抓住我的手臂不讓我向前移動，過程中我必須用盡力氣去抗衡他們

的束縛、試圖向前挪動，但因為被抓得很牢，我怎麼努力都無法越雷池一步。就這樣，當我一次次向前衝都徒勞無功，身體帶動了心理，角色自然上身。

這種情況就像宗教的「跪拜禮」。許多宗教將跪拜禮作為修行的重要過程，把身體降低甚至平放在地的動作，代表一顆謙卑的心，放下「我很厲害，大家都要看重我，我要擁有更多」的自滿心態。當你認為自己應該「要謙虛」但又感覺做不到時，不妨試著把身體放低、甚至匍匐到地板上，心態自然也會降低，如此更容易感受虛心，進而尊重其他的人事物。

笑口常開，是可以練習的能力

心情不好時，我們總會想辦法振作或調整情緒，但不一定有效，這是因為我們會受到各種外界因素的影響，心緒不斷被牽動。你都用什麼方法來調整情緒呢？靜靜坐下來，想著「我要正面思考」、「我要忘記一切」會有用嗎？這時候，無論多麼想控制自己的思想，有時光靠言語打氣未必行得通。

回想一下，以前有沒有因為動一動身體而讓心情變好？有可能是找聊得來的朋友見個面、去一個你喜歡的地方讓身心充電、或透過激烈運動來甩開煩惱……相信大家都有不少

類似的經驗，要讓心情好起來，先活動一下是很有效的方法，也因此，有意識的練習微笑這個「動作」，也是相同的道理。

從今天起多練習微笑，有點刻意也無妨，獨自一人時，試著放鬆臉部、保持淺淺的笑容，如果能養成習慣的話就更好了！一般人很難在沒有任何原因的情況下隨時微笑，所以不妨選擇一個固定的地方，或在完成某個小目標之後進行（這個方法也能幫助你建立其他的好習慣）。

我自己是養成在開車時微笑的習慣，例如在上下班途中，提醒自己要微微笑，反正車裡只有我一個人，這是別人不會注意到的私密空間，非常適合練習，畢竟如果常在地鐵上或公共場所突然開始練習微笑，很可能被當成異類吧（笑）！在塞車心浮氣躁時，或開車感到無聊時，都是很適合練習的時刻。

就像演員必須對著鏡子練習各種表情，常練習微笑，最直接的優點就是能讓面部表情變得更自然，在拍照時會更上相呢！

每次我要上台演講，或在講座開始前感到緊張，我的第一個動作不是對自己信心喊話「不要緊張」，而是先有意識的調整面部表情和身體姿勢，這個方法更有效。挺直背部和肩膀、微微挺胸，身體姿勢微調一下，自然就能帶著自信的笑容走上

台。雖然可能有那麼一點刻意，但這是我親身經驗過無數次的
祕訣，可以在短時間內快速調整心態、緩解僵硬的肢體。

　　除此之外，微笑還可以減輕身體的不適。當我重訓到一
半看起來很累、彷彿快撐不下去時，教練會提醒我：「打開
眉頭，保持微笑喔！」聽說皺著眉頭會讓人感覺更疲憊。

　　我們往常的想法是，只有在感覺輕鬆自在時才能笑得出
來，但是現在不妨把順序反過來：**當你先微笑，就能讓情況
變得更輕鬆自在**——這是因為愛笑的人對其他的刺激也能做
出更直接的反應。

　　年幼的孩子既愛笑也愛哭，因為世間的一切在他們看來
都有新鮮感，每一個刺激都能激發他們最直接和生動的反應，
孩子們比成年人更不受社會壓力的影響，想笑就笑、想哭就
哭，壓力自然隨之宣洩了。

　　聽起來有點傻氣，那又何妨？稍微降低你的笑點，當你
能隨時隨地抱持著一顆微笑的心，相信你自然也有辦法對很
多事情一笑置之。

找出笑點，給自己正增強的獎勵

　　說到這裡，你可能會想：「不管我怎麼努力還是笑不出

來，那該怎麼辦？」

這種情況下，得先找到自己的「**笑點**」，有笑點才能引發笑聲。每個人或多或少都有些克制不住的笑點，當我們聽到某個故事、看到某張照片或某段影片時，像被戳中了笑穴，會忍不住哈哈大笑。

我有一個有些傻氣的笑點：大學時曾幫同學拍了一張搞笑的醜照，每當同學感覺低潮時，他不是自己去看那張照片，而是故意拿給我看。他說，我每次看到那張照片，總是會笑得東倒西歪，他覺得我的反應太有趣了，我笑到發瘋的樣子就是他的笑點。笑聲是會傳染的，有時候某個人的笑聲可能成為另一個人的笑點呢！

每個人都喜歡面帶微笑的人，不會特別想接近皺著眉頭的人；有好東西，我們總是想先分享給那些常常對我們微笑的人，而不是動不動就對我們生氣的人。

在美國心理學家史金納（B. F. Skinner）的實驗中，老鼠在實驗箱裡反覆去按能流出糖水的壓桿，喝到糖水的老鼠獲得滿足，為了獎勵越按越起勁，不斷增加按壓的次數，這是一種正增強的刺激。笑容就像糖水，也是最直觀的正向激勵，孩子的微笑對父母來說是一種獎勵，父母的微笑對孩子來說也是獎勵，連小狗也能認出自己最喜愛的主人的笑臉（甚至有一種說

法是動物會模仿人類的笑臉）。笑聲，可以改變身邊的氛圍，影響所有人的態度，不論對方跟你熟或不熟、在不在意你，都有很好的效果。

一個朋友告訴我，他每次去聯誼的必勝絕招，就是在適當時機拍手並回以笑聲。他的論點是，每當對方講了三句話，自己除了附和，也會剛剛好的報以微笑或大笑，對於氣氛破冰幾乎屢試不爽，多數人都會對他產生好感，至少尷尬少了一半！

想想看，能點中你笑穴的笑點在哪裡，早上醒來後，請立刻打開這個開關，甚至大聲笑出來，送給自己一個燦爛的笑容。

在這一天，你的起跑點已經與眾不同。

Day 22 今天的一分鐘原子目標

第一步
多想想你的笑點是什麼,將有關的物品貼在浴室的鏡子上,再滑稽、不正經搞笑都無妨。

第二步
早上起床後,洗臉之前,先看看鏡子上的笑點,作為啟動一天的開關。

第三步
大聲笑出來吧!笑到眼角出現魚尾紋,再開始洗臉,精神跟著放鬆了呢!

想像一顆氣球，
把最困難的事情掛上去讓它飛走

彷彿呼吸也會挨罵，社畜的壓力無所不在

　　我是一個對批評很敏感的人，對我來說，工作上最難熬的事情是面對飼主的投訴。在動物醫院工作，除了醫療之外，還有很多關於人的事情需要處理，其中最困難的任務就是取得飼主的信任，為了避免一切糾紛，我們醫生必須非常親切，姿態低到幾乎是極盡討好之能事。然而，有時還是免不了會遇到投訴我、不信任我的飼主，只要我聽到有某個飼主對我

不滿，即使下班回家了，我的腦中仍會縈繞著低氣壓的情緒，有時甚至還會夢見飼主上門飆罵。

　　沒錯，我天生是一個容易想不開又鑽牛角尖的人，也許這就是為什麼我在當獸醫的第一年會恐慌症發作。當時我曾被前輩罵過無數次，我非常焦慮，焦慮到感覺光是呼吸都會挨罵，而當時每天的上班時間非常長，甚至長達十五個小時。

　　在這種高壓環境下，很容易被負面情緒壓垮，有的人會選擇壓抑自己的情緒、假裝沒事，我就是如此，花了很多時間刻意忽略自己的感受。下班後，我會打開電視、調高音量，播放喧鬧的綜藝節目，盡可能忘記那一天發生的事情。

　　有很多人像我一樣，選擇把負面情緒全丟進深海裡，看都不看一眼，我能想到的辦法是累了就睡覺，幸運的是，我很容易睡著，可以利用睡眠來逃避負面想法。但是，如果一直逃避下去，最終還是會出問題，被我刻意忽略的情緒並沒有消失，而是一直卡在心裡的某個地方，這些被壓抑的情緒始終沒有釋放，日積月累下副作用會越來越明顯，一旦類似的事件再度發生，被刻意壓住的情緒就會反彈甚至爆炸。

寫下情緒日記

　　我的手曾經在看診過程中受傷。其實我不知道當時是怎麼割到的，只看到流了很多血，趕緊用紗布包裹、緊緊按壓出血的地方。包起來後我不太敢掀開紗布，因為我害怕看到受傷的程度，於是眼不見為淨，包紮了很長一段時間。這麼做當然是不對的，如果受傷的部位被感染，卻因為怕痛一直綁著、不敢檢視，結果會很可怕──傷口會化膿潰爛！所以再怎麼痛，也要仔細清洗傷口、檢查狀況，該消毒就消毒，直到傷口癒合。

　　我們的負面情緒也是如此，視而不見並不表示生活可以過得正面又快樂，如果把「好情緒」和「壞情緒」分別貼上標籤，固執的只接受「好情緒」，可能會產生更嚴重的副作用。

　　那麼，怎麼做才好呢？我們需要做的第一件事，就是像觀察傷口一樣，仔細看清壞情緒，也就是詳細觀察到底發生了什麼事，以及它對自己的想法帶來什麼影響，先接受這些最原始的感受。這個時候，最好用的方法之一是「**輸出**」，只有當你「**向外**」表達出自己的感受，才能詳細了解情緒的本質並且接受它。

　　我的方式之一是利用「Notion」這個軟體寫下情緒日記，我按照時間順序，寫下當天發生的所有事情，並寫下它們對我的影響。以下是我之前寫下的某一篇情緒日記：

　　1.一個朋友要我找出一直困擾我的事情是什麼。我突然想到，我有一個根深蒂固的想法：「我是一個非常古怪的人，如果有一個人會愛上原本的我，那簡直是奇蹟。」這個想法深植在我的潛意識中，並且影響了我的生活。

　　2.我一整天都無精打采、心情鬱悶，什麼也做不了。到了該運動的時間，我很慶幸自己還有精神去運動。好不容易擦乾眼淚，擔心沒力氣運動而吃了一些葡萄。今天大約晚了兩分鐘到健身房。在做伸展運動之前，心情一直很糟，但在瘋狂運動並完成每日訓練計畫之後，我感覺好多了。

　　3.我是第一次學跳箱和抓舉的循環練習。我可以做到硬舉和過頭的動作，但因為上半身和下半身協調性不好，要同時做這兩個動作加上跳躍，對我來說太難了啦！我連二十五磅的空槓都沒辦法拿耶，所以乾脆用塑膠管代替。我覺得只能做到最低的難度，嗯，沒有進步是有點難過，但總比受傷要好。塑膠管的重量很輕，我應該專注於把動作做得更正確，細節也要做標準。跳箱真的很累，但又很過癮。今天教練也

許注意到我垂頭喪氣，後來他對我說：「妳沒做好是很正常的，這只是第一次練習，其他人都是老鳥了，已經做過跳箱和抓舉好幾次。一開始做不到也沒什麼，不過妳最後做得很好，只要對自己有信心一點就好。」

教練說「妳沒有做錯，做不到很正常」，對我來說實在是很大的安慰！我常常拿自己與別人比較，也討厭自己與眾不同（或比其他人差）。無論如何，教練的話讓我心裡好過了一些。好吧，一開始做不到沒關係，時間一久，如果我變厲害，不就代表我是進步最多的人嗎？後來又做了十分鐘的滾筒伸展，才離開健身房。

像這樣按照事情發生的順序，加以編號，持續寫下自己的情緒日記，寫著寫著，我發現了有趣的事情：原來，我每天都因為很類似的事情反覆產生負面情緒。生活中，每天總有新的事情發生，我以為自己不夠好、處理不來，但寫下來後，我清楚看到，跟著時間推進，那些糾結的事並不困難。或者是說，每當發生新的事情，我總是用千篇一律的方式去感受它。

還記得國中時學過的函數公式嗎？如果在包含 $y=2x$ 等函數的公式中輸入特定的 x 值時，會計算出 y 值。我的心中也

有自己的函數公式，無論發生什麼事，我彷彿都看不見它原本的樣子，而是執意透過自己主觀創造的公式，去扭曲解讀事實。

透過寫情緒日記，你可以找出自己腦海中有哪些固執的「公式」。清楚掌握這些「公式」有什麼好處呢？即使未來再發生同樣的事情，你也能提醒自己，以更直觀的心態去面對。

假設你去欣賞一場令人嘆為觀止的魔術表演，當你不知道魔術師使用什麼技巧時，你會覺得一切太離奇、想破頭也無法想像；但是當你知道魔術師的手法，祕密被赤裸裸的攤開在眼前，神奇的面紗也就被揭開了！也就是說，你已經掌握腦中的函數公式是如何運作的，即使發生令人生氣的事情，你也懂得提醒自己剎車、不要陷入同一條路線，漸漸讓心情趨於平靜。當我們感受到負面情緒，不妨轉念想：**這是個好機會，利用現在去找出腦海中的函數公式。**

釋放的三步驟

現在我們來總結一下。

一、**接受**：當出現負面情緒時，不要忽略它，而是完全接受它原本的樣貌，並重視自己的感受，例如，「原來我是

因為……而感到孤獨，因為……而生氣」。在某些情況下感受到某些情緒，並不是因為你小題大作，在別人看來，它可能是小事，但對你來說，可能是讓你生氣的大事。

二、**傳達**：使用語言表達感受。可以像我一樣寫情緒日記，或者向能夠理解你的人聊聊你的感受。例如「因為沒有人懂我，我很難過；我很孤獨、我很生氣、我恨自己、我感到丟臉……」等等，盡量使用精確的字眼，與其用「我只是心情不好」或「我有點不開心」之類的含糊表達，不如使用準確描述感受的詞彙。

也許一開始很難找到合適的字詞來表達，但也可能是你還沒準備好、還不想審視內心陰暗的角落。即使如此，還是盡量嘗試，每次用一兩句話表達出你的心情。

我們需要注意一點：無論感受如何，**都不應該因為自己的感受而自責**，「我為什麼會因為這麼一件小事而生氣？我瘋了嗎？」只要接受情緒原本的樣子就好，情緒沒有對錯。

三、**放下**：如果已經透過語言表達出感受，現在就到了放下的時候。正如我之前提到的，放下與壓抑不同。壓抑是埋藏情緒並忽視它，甚至不承認它，就像責備一個因為疼痛而哭泣的孩子，叫他不准哭一樣。所謂放下情緒，則是傾聽孩子的哭聲，讓他盡情哭泣，然後在他哭完之後，幫助他度

過難關。

　我在 Day 19 提過，如何把「你認為重要的事情」放在想像的山谷裡，今天，則是讓我們把內心的負面情緒掛在一個大氣球上，讓它順著風飄走。當然，只做一次並不能釋放你所有的情緒，但是，只要不斷重複「接受→語言傳達→放下」這三個步驟就行了，會越來越好。

Day 23 今天的一分鐘原子目標

第一步

前一晚睡前先想一想,最近經歷過最糟糕的感覺。

第二步

寫下情緒日記,多描述情緒不好的原因,並接受你的感受,不自責。

第三步

隔天早上醒來後,想著自己將這些感受掛在一顆大大的氣球上,然後讓它飄出窗外。

對自己說五遍：
「○○，我相信你」

穩定的路和不穩定的路

　　一條穩定的路和一條不穩定的路，我始終選擇後者。

　　在成年之後，我不想老實跟著多數人走上穩定的就業道路，寧可在相對崎嶇未知的路上摸索，父母親要我想清楚，「不穩定」代表著風險，勸我不要老做一些又累又看不到未來的工作。也常有親朋好友不以為然的說：「柳韓彬妳真是個怪咖，幹嘛自找麻煩？」「何必讓父母擔心？」

　　直到現在，我也沒有為了賺錢而選擇更穩定的工作，事

實上，還盡量減少正職工作的時間，把業餘時光都花在寫作、表演和製作影片上。

另一方面，因為我不斷追求自己喜歡的事物，能理解我的朋友們常語帶羨慕的說：「韓彬真有自信，好酷喔！」但聽到這番讚美反而令我很尷尬，因為我其實很心虛。

我想藉此機會承認，不管做什麼事，包括我那堆聽起來很有趣、很酷的斜槓工作，當初沒有任何一個選擇是基於「我有超強的自信」才去做，也就是說，我會跟著心意走、跟著興趣走，但卻沒有把握自己的選擇是正確的、是完美的。其實，當我考慮辭去相當於鐵飯碗的教授工作，我實在不知道自己以後會不會後悔，還因此失眠了好幾天。我好不容易才下定決心，「走吧！去做自己想做的事」。我記得是寒假的最後一天吧，我瀟灑的提交了辭呈，謝絕了院長和系主任的多次勸說，然後帶著包包離開我的研究室。

表面上我去意堅決，但實際上，那一天我的心情既沒有一舉解脫的暢快感，也不是捨不得，而是有快滿出來的焦慮。「老天啊！如果我將來後悔怎麼辦？」為此我徬徨了起來，遲遲無法步出校園。春天即將來臨，校園也將展開新的學期，但對我來說，那個冬天黑暗而漫長，像萬丈深淵一樣看不到盡頭。

是人，都會焦慮

　　最近我去看了藝術家金煥基大師的畫展（注）。金煥基是韓國最具代表性的抽象畫家，他的作品創下了韓國藝術品拍賣價的最高紀錄，但他的生活曾遭遇極大磨難，在紐約畫畫的時候，他為了省錢甚至只能畫在報紙上。美術館除了展出作品，也展示他的工作日記，我想分享其中的一段話：

　　「春天，我在報紙上畫畫的時候，我找到了自己。我唯一的財產就是『我自己』，但我過去一直深感茫然。現在，這個「自己」覺醒了。我唯一能做的就是不要分心，繼續畫下去。從這一刻起，那股茫然褪去了，我全身上下充滿希望。」

　　金煥基說自己也曾喪失信心、自我懷疑：「我所做的真的是藝術嗎？」當下更不確定還能堅持多久，但他最後仍選擇相信自己。從堅定向前邁進的那一刻起，負面想法就消失了，只留下希望。憑藉著對自己的信念，金煥基成為韓國頂

注｜金煥基（Kim Whanki，1913 年～ 1974 年），韓國的抽象藝術畫家，2019 年他的作品《宇宙》以臺幣約 3.9 億元成交，成為「史上最貴的韓國畫作」。在首爾有一座煥基美術館，用以表彰並紀念大師的成就。

尖的抽象藝術巨擘。

讀了作者的工作日記，我莫名的受到撫慰。我想那是因為我也曾迷茫過，不確定自己在做什麼。當然了，我遠遠不夠格與偉大的畫家相提並論，但每當我想到他幾十年來一直被焦慮所困，依然努力堅定自己的信念時，感覺就像有人也在告訴我：「韓彬，妳會徬徨是很正常的！」這讓我鬆了一口氣。

我不是一個獨立或自信的人，而是一個敏感又容易緊張的人；我害怕失敗，但又是一個完美主義者。我在害怕什麼呢？大概是對任何事情都沒有答案，也沒有絕對的信心，這種不確定性讓我害怕。

就像獸醫們治療動物，就算按照教科書以最標準的 SOP 去診斷處置，也無法保證能完美治癒，儘管症狀看起來相似，但每隻動物都有獨立的狀況，需要的治療方式不會一模一樣。又比如，我熱愛演戲，但我常覺得無論多麼努力，自己的演技都難以大幅度精進，說穿了，我的演技似乎和我的努力不成正比，我不確定要怎麼做才能成為一名好演員。還有，我擔心，寫出來的書對讀者是否有幫助——不對，我壓根害怕，會不會根本沒有人要讀我的書……。

很累人對吧！以前的我，腦中常盤旋著好多庸人自擾的

小劇場，我也因為這些大大小小的焦慮而戰戰兢兢，但越是這樣，我告訴自己越要「做下去」——因為唯有直接去推動我想要做的事情，才能夠幫助我改變；做了，才能真正拋下煩惱。萬一搞砸了，不須怪罪任何人，只要專注解決失敗的原因，也能收穫許多經驗，絕對好過什麼都不做、光在原地轉圈圈。

抓回人生的選擇權，不要當受害者

　　這是個變動的世界，許多在過去被認為是正確的、最理想的價值觀，也跟著時代不斷在轉變。好比說，公務員曾被認為是保證穩定的工作，競爭非常激烈，每數百人才能錄取一個，但不知不覺間，它的受歡迎程度逐漸下降（根據新聞報導，轉行的公務員人數這幾年不斷創下歷史新高）。又例如，你和曾經難分難捨的戀人分手，當時痛苦萬分，如今變成了漠不關心的陌生人；你原本堅信不移的藍籌股股價下跌；又或者你工作了一輩子的公司，一夕間突然倒閉了……。

　　在這種無常才是正常、不穩定才是不變的環境中，我們需要一個穩定內心的標準。既然外在的事我們無法確定也難以掌握，為什麼不先嘗試相信自己呢？會永遠陪在你身邊，

和你一起感受所有悲歡離合的人，就是你自己本人。這不代表你要一意孤行漠視身邊的人，而是應該問問自己：「**能決定我生活要怎麼過的人是誰？我是否太習慣把重要抉擇交付給他人？**」

不管挑哪一條路，選擇都要基於自己的本心，如果是為了順應別人的想法而選，結果失敗了，或過程中不快樂，你會很容易把氣出在別人身上，覺得一切都是別人害了你。

一個一輩子都在指責別人的人，等於讓自己永遠成為受害者。

我想沒有人喜歡當受害者吧！既然如此，我們當然要拿回自己的人生選擇權，自己挑路走，然後有勇氣承擔後果，才能當自己的主角。

想一想，什麼話最能帶給自己力量？先記下來，然後一遍又一遍重複說出來，言語的力量，遠比你想像的還要大！

Day 24 今天的一分鐘原子目標

第一步

早上一睜開眼睛，想想你最近擔心什麼事情。

第二步

將手輕輕放在胸口，對自己說五次：「○○，我相信你。」
「○○，我相信你。」
「○○，我相信你。」
「○○，我相信你。」
「○○，我相信你。」
「○○，我相信你。」

張開雙臂跳躍，
直到氣喘吁吁

人際互動停滯，能量也跟著停滯

　　正如我之前提到的，擔任教授時我總是忙得昏天暗地，連平日晚上和周末都要加班，尤其是瘋狂的第二個學期，日復一日連續工作四個多月，中間除了中秋假期那兩天，沒有其他任何休假，幾乎天天超時工作。

　　在我的第一本書《原子時間》中，我分享自己如何運用下班後的晚間時光，但在當教授那段日子裡，很諷刺的，我

的時間常脫離我的掌握，每晚深夜下班，回到家幾乎只剩下盥洗時間，僅小睡一下就天亮了，又得再次出門工作。別說晚間計畫了，一忙起來我甚至沒有時間停下來好好吃頓晚飯。那時的我常不由自主的嘆氣，因為我無法將自己說的話付諸實踐。

我的人生，一直追求在「工作溫飽」和「想做的事」之間取得平衡，當時那種身不由己的生活對我來說尤其痛苦！到底要追尋個人幸福，還是完全投入教育工作？我陷入了左右為難。「教授」聽起來是很棒的工作，家人也很認同，但我必須長期將自己關在五坪大的研究室，在公文、電腦、堆積如山的書籍和論文之間埋頭苦幹，那時候的壓力讓我感覺自己快溺斃了，精神狀態像走在鋼索上，頭腦經常一片空白。

我喜歡授課，也很享受和學生的互動，在有課的日子裡，我從學生身上獲得滿滿的能量，也覺得元氣十足；但沒課的時候，我反而累積更多的壓力。擁有自己的研究室是很好沒錯，但每天要處理文書工作、回郵件、找文獻、備課等一件又一件的事務，常常超過十幾個小時不會和任何人交談，猶如被困在一個遺世獨立的小小世界裡。雖然我不是外向的「E型人」，但人際互動不斷被按下暫停鍵，感覺能量也停滯不前、無法流通，這讓我失去活力，也開始出現胸悶的生理問題。

　　就在這種受困於緊湊日程和孤單的工作環境，而讓我感到沮喪憂鬱時，運動成了我的救贖。

晨間運動決定白天的質感

　　首先，我決定調整一下日常的順序。如果當天時間還算有餘裕，晚餐後我會先去附近的健身房，好好運動流個汗再跑回學校加班。坐了一整天後，藉由運動大汗淋漓，昏沉的頭腦可以恢復清晰，呼吸也更加順暢。做完簡單的重訓後，我喜歡在可以看見夕陽的窗邊跑步機跑步，那一刻的感覺真是太好了，彷彿人又活了過來！如果當天真的太忙，沒辦法上健身房，我會下樓在學校操場跑一下，或往學校後山散步一小段路，只要暫時脫離令我胸悶的狹小空間，哪種都好。

　　隨著運動成為我的日常，我後來又調整時間，轉而喜歡上晨間運動。

　　早上起床的時候，因為身體已經休息過又剛要甦醒，這個時間點非常適合釋放能量，在晨間做點運動，能讓身心都被喚醒。好的早晨時間可以影響接下來一整天的品質，當你透過運動獲得一些成就感，很神奇的，你也能一整天維持這種帶著勝利、自信的愉悅心情。

　　在我開始挑戰先晨泳再去上班的第一個月，也覺得好累啊，游完泳特別想打瞌睡，然而，大概一個月後，我的身體漸漸適應了早晨運動。我開始發現如果沒先運動就去上班，反而會感到更加疲倦，身體僵硬、頭腦混沌。現在的我已無法想像沒有運動的生活。

　　如果你認為運動不適合自己，或者光一想到要出門運動就好麻煩，我建議你不要放棄，反而更要不停嘗試不同的運動項目，給自己一點時間練習，一定至少有一種運動適合你──游泳太麻煩就做肌力訓練；去健身房太遠就在附近跑步；做瑜珈怕筋骨僵硬就從簡單伸展開始；嫌出門很累人就自己在家跳繩……皮拉提斯、重訓，或甚至只要跟著音樂隨興舞蹈……你總會找到一項適合自己、還算可以接受的，不知不覺，你的身體會習慣在固定的時間運動，還會上癮呢！

出汗運動，可分泌快樂荷爾蒙

　　許多研究證實，運動對憂鬱症來說是有效的良藥，運動是輕度和中度憂鬱症的主要治療手段，而中度和重度憂鬱症也需運動作為輔助治療。因為運動時會穩定分泌俗稱快樂荷爾蒙的多巴胺和血清素，醫學界發現，「出汗的運動」有時

可以取代抗憂鬱藥 SSRI。

此外，近年還有許多研究表明，成年人（包括動物）的大腦中依然會產生新的神經元，這種現象被稱為「成體神經新生（Adult neurogenesis）」，它與學習、情緒、憂鬱和壓力等有很密切的關係，據說多跑步，不但可減少憂鬱情緒，同時也能刺激大腦中的新神經元成長。(注)

我在網站 NAVER 看到一部網路漫畫《女性專用健身房 Azalea Gym》，是一個運動菜鳥在遇到很棒的教練後，激起生命火花、改變人生的故事。這部網路漫畫中有一句話我非常喜歡：

「如果你舉重舉得好，那麼你生命中的重量將變得

注｜

1.Ravindran AV, Balneaves LG, Faulkner G, Ortiz A, McIntosh D, Morehouse RL, et al. Canadian network for mood and anxiety treatments (CANMAT) 2016 clinical guidelines for the management of adults with major depressive disorder: section 5. complementary and alternative medicine treatments. Can J Psychiatry 2016;61:576~587.

2.Laura Micheli, Manuela Ceccarelli, Giorgio D&Andrea, Felice Tirone, Depression and adult neurogenisis: Positive effects of the antidepressant fluoxetine and of physical exercise. Brain Research Bulletin 2018;143:181-193

輕如鴻毛。」

　　我真是太喜歡這句話了！因為我也同樣體會到，持續運動讓沉重的心情變得輕鬆起來。越專注於自己的身體、出汗越多，我就感覺越輕鬆、充滿活力。

　　運動並不能解決現實生活中的問題，運動不能幫你支付這個月的房租，也無法幫你完成明天要交的報告，然而，冥想和閱讀所創造的精神力量，有時不足以幫你克服在生活中已面臨的、或即將面臨的眾多問題和壓力。身體和思想是一枚硬幣的兩面，鍛鍊思維也鍛鍊肌力，好的身體能力能讓你更容易管理內心。

　　運動的類型有很多，跑動（不一定是慢跑）是最便宜、最直接有效、也最不分齡的方式，而且入門門檻比冥想低，也不需要特別學習。它還有一個優點，就是只要你願意，隨時可以開始。

　　早上起床後什麼都不用多想，張開雙臂，開始跳躍就行，跳到氣喘吁吁為止。是不是超級簡單？這個小運動毫無成本，不會佔用空間，唯一要小心的是震動太大造成樓下困擾，如果怕製造噪音，可以在地板上放一個軟墊。

　　第二個簡易運動是「**用手走路**」。當我沒時間出門，想在家運動到爆汗時我都會做這個動作：一樣鋪上墊子，蹲下

來，用手向前爬行（膝蓋最好離地），然後再爬回來，就這樣而已，但非常耗體力！

　　除了這兩個非常基本的運動，你也可以做一點像我們前文提到的，感受並伸展身體的痠痛部位，能流點汗，都好！

Day 25 今天的一分鐘原子目標

第一步
睜開眼睛後，做一些輕度的伸展運動。

第二步
站起來，張開雙臂，開始跳躍（此時不要想
任何事情）。

第三步
不用侷限只做一分鐘，做到你感覺很喘為止。

第三步
除了這個運動，也可以彎腰「用手走路」，
或在周末早上加碼，外出跑個半小時。

找出每日堅持做的事，
告訴自己很了不起！

嚴以律己的盲點：為什麼要對自己吝嗇呢？

這五年來我一直在創作有關自我提升和時間管理的內容，經營與學習相關的影片頻道、線上課程，即使同時間有動物醫院或教授的工作，我也從未停止創作和拍片。

我的頻道常有訂閱會員或讀者留言分享，有些人表示，不管是斜槓還是學習，要有毅力的付諸實踐並不容易，例如有人說：「我也想像韓彬一樣持續學習，但是下班回到家就

歪在沙發上、什麼都不想做，最後滑手機滑到睡著。」也有人說：「我一開始下了很大的決心，但只有持續三分鐘熱度。」

看到這些留言，我都會鼓勵對方不要想得太艱難，因為光是起心動念改變些什麼，有踏出第一步就非常了不起了，況且就算是再小的事，只要變成每天持續去做的目標，都會變得有點難度，因此我總是為他們打氣，告訴他們現在已經做得很好了。

然而，說來尷尬，雖然我對讀者、對訂閱者提供回饋時總是特別寬容，但更多時候我對自己卻是苛刻又吝嗇，如果沒有完成當天該做的事，我會責怪自己；即使完成所有事情，我仍會檢討自己做得不夠好，如果再專注一點就可以做更多事；如果今天沒有明確比昨天好，我會對自己失望。我明明不是物慾很強、揮霍無度的人，但有時只要買了非計畫內的東西或吃比較貴的一餐，事後我會很有罪惡感，責怪自己幹嘛多花這些錢。

成為對自己和他人都慷慨的人

我們常把人分為兩種，一種是比較符合傳統價值的「嚴以律己，寬以待人」，一種是「嚴以律人，寬以待己」。後

者是大家口中的「雙標」，常會成為人們批評的對象，但嚴格來說，這種人是很矛盾的，因為當我們對他人苛刻的同時，其實也意味著自己有一套嚴格的判斷標準。

如同「苗條好，肥胖不好」、「勤奮好，怠惰不好」的想法，我們通常都有「這樣好，那樣不好」的判斷基準，一旦我們心中建立起某種標準，就算只是拿來要求別人，其實自己的潛意識也早就被制約了。那為什麼有些人看起來總是對自己很寬容、只會挑剔別人？這是因為他已經從意識中抹去自己心中定下的標準，由於實踐理想的標準太困難，他在不知不覺間漠視標準，並告訴自己：「這樣就可以了。」

但這種人的內心真的平靜快樂嗎？事實上，由於心底仍然有一把看不見的尺，他在潛意識的世界裡也會感受到壓力——也就是說，這種人是活在欺騙自己的世界裡。反之亦然，對自己要求嚴格的人，看待他人時其實也有同樣的標準，只是沒有說出口、表面上沒有表現出來，但心中已有主觀的評價「這個人就是這樣」。

不管是哪一種，如果標準過於苛刻，我們會喪失思考的彈性，畢竟在黑與白之間，往往有很大的灰階空間，如果對他人的要求過於嚴格，人際關係常會出現問題；如果對自己過於苛刻，很可能很難珍愛自己、對自己永遠不滿意。

　　我希望在心裡能有一套「機智」的標準，不僅對他人慷慨，對自己也足夠寬容，能放寬心、心平氣和的待己待人。

如果自己覺得辛苦，那就是辛苦

　　大家是否曾經因為某人一句不經意說出口的話，而得到極大的安慰？我想說一個發生在我身上的小故事。

　　有一天，我目前任職的動物醫院副院長問我，為什麼要辭掉以前的工作？是不是因為很辛苦？被這麼突然一問，我不知所措的回答：「其實客觀來看，我也不算特別辛苦，其他人的工作強度也都差不多，但好像我就是覺得特別累。」此時，他卻對我說：「別人辛不辛苦跟我們有什麼關係？如果自己覺得辛苦，那就是辛苦。」

　　「自己覺得辛苦，就是辛苦。」這句話融化了我的心，因為我始終沒辦法對自己這麼說。事實上，在上一份工作中所經歷的某些事，對我來說很難熬，但我一直努力否認這個感覺。我以為是我抗壓性不夠、是我想太多、是我不夠厲害，總之，我不斷鼓舞自己要克服，在職場本來就會遭遇各種壓力，如果我無法承受那些痛苦或不能堅持下去，我怕自己會在競爭社會中成為輸家。

人生哪能不挫折？承受壓力、從錯誤中學習、被現實錘鍊，是生而為人每天必須反覆經歷的事，這些再平凡不過的事並非不辛苦，而是因為每天都要做，我們以為自己早已習以為常，可以處之泰然，但其實它們仍需要我們投注大量的精力。聽到副院長這麼說，我才深刻意識到，原來每天都在做這些事的自己，內心也想聽到被肯定的話。

小時候，我也曾夢想成為一個出色的大人，也曾向自己承諾，要成為一個與眾不同、有一番作為的人，然而，長大後才明白，就連過著看似平凡的生活，每天出門工作、日落而息，也不是一件容易的事。

光是體重不變，就很了不起！

在開始新的一天之前，要不要先重新思考，那些因為太過於理所當然而忘記其重要性的日常中，自己所做的每一件事是多麼不簡單！比起鼓勵你：「今天要比昨天做得更好，收穫更多。」我更想說：「**只要維持平靜的日常生活，就是度過了美好的一天！**」。

你可以試著在筆記本寫下每天自己的狀態，以及你持續在做的事，例如：

- 去上班或上學。
- 體重沒有減少或增加，保持著一定的體重。
- 教養孩子，或飼養寵物。
- 賺錢，在收入範圍內儲蓄。
- 每天維持居家環境整潔，維持背包、錢包等用品清潔。
- 每個周末去教會（或寺廟）。
- 餵飽自己，讓自己入睡。
- ……

　　這些事我們每天都在做，就像呼吸一樣，被認為是天經地義的事，但是仔細想一想，做這些事情也得花上好一番心力和精神，表面上微不足道，但卻是構成日常的重要元素。

　　你今天還做了哪些「理所當然」的事呢？在開始新的一天以前，先稱讚一下如此努力生活的自己吧！

Day 26 今天的一分鐘原子目標

第一步

到公司上班時,別急著開電腦或滑手機,先拿出筆記本和筆(如果環境不適合寫字,可以在路上自己想像,於腦海裡「拿」出筆記本)。

第二步

寫下自己每天都會做的工作清單,想到什麼就寫什麼。

第三步

無論是回客戶的信、想一個企劃、抽時間運動、好好吃頓飯、甚至按時喝水……雖然都是理當該做的事,但在做這些事之前,先對日復一日努力完成這些工作的自己說一聲:「你真不簡單,我以你為榮。」

比較今天的我
和一年前的我

為什麼多數人無法變成達人？

當我還是菜鳥獸醫的第一年，最困擾我的一件事是尋找
動物的靜脈，因為不論是採集血液進行血液檢查，還是輸液
或靜脈注射，都要先找到靜脈，對獸醫來說，靜脈穿刺（將
細空心針插入體內抽取液體）是最基本且必要的技術。

對一個剛入行一年的獸醫來說，一定要盡快熟練靜脈注
射的技巧，因此有些人會想去大醫院實習。然而，到了第二

年，就發現這些擔心都是多餘的，因為隨著工作時間的累積，大家別無選擇——人人都變成打針高手，幾乎沒有人不擅長這項技術。對現在的我來說，尋找血管已經變成在動物醫院裡最容易的工作，真正困難的是以有限的檢查結果做出準確的診斷、正確教育飼主並讓飼主安心、控制藥物副作用的同時又能達到預期的效果……而將針頭插入血管真的是小事一樁。

很多剛入行的新人和我當初一樣，看到優秀的同事會很有壓力，對自己感到沮喪，但因為每天都在做同樣的事，經驗足了，身體記憶自然能學得會，大家不再覺得靜脈注射是高難度技巧，更不會因為緊張去找《幫動物打針的十個祕訣》之類的影片，不知不覺人人都能變成箇中高手。就像學腳踏車一樣，只要練習時間增加，不再畏懼，任何人都可以做得不錯。

當然，有些挑戰具有急迫性，沒辦法讓我們無限練習到熟能生巧，好比說必須在短期內通過特定考試，或是在期限內要衝業績等等，但仔細一想，我們在日常生活中設定的許多目標並不是考試、也沒有人強制規定，重點反而是自己有沒有動機，就像菜鳥獸醫遲早會精通靜脈注射一樣，只要願意每天去做，總有一天我們也能做得很好，甚至成為某個領

域的達人——但現實是，我們堅持不了。

這是為什麼呢？因為我們的大腦早已習慣競爭的速度，習慣把一切努力都視為考驗，唯有比別人做得更好更快才能在社會中生存的執念，彷彿已深深刻在你我的 DNA 裡。

為什麼這麼容易放棄？

我們想做好許多事，卻常常只有三分鐘熱度，原因是缺乏毅力嗎？沒有動力嗎？我認為主要的癥結出自於「愛與他人比較」的心態，做什麼都想要追求快快快，無論如何要盡快看到成效，而成效就是要贏別人。

就像減重，失敗的原因有很多：忙到沒時間運動、壓力導致暴飲暴食、對飲料上癮……都有可能，然而，之所以一次又一次減肥失敗，最大原因是追求速效所造成的！社群媒體上充斥著人們在一周內減掉四公斤的超勵志案例，一些「快胖、快瘦（快速增胖又快速瘦身）」的影音總是能衝高流量，讓看影片的人起心動念：「哇！那個人這麼快能減掉四公斤，我也要照做！」

一旦渴望在最短時間內劇烈瘦身，三餐就必須維持不正常的超低熱量飲食，同時還得搭配大量運動，直到自己接近

崩潰為止。但是這樣的生活不可能持續太久，多數人在達成目標之前就放棄了，然後眼睜睜看著體重反彈。如果沒有先了解自己的體質、生活習慣，光是以別人減肥超級成功的案例做為標準，只會陷入反覆失敗的惡性循環。

別人的事是假的，自己的步調才是真的！

那麼，到底該怎麼做才對呢？事實上，這個問題沒有單一的正確答案，但核心是：不要和他人比較，而是每天持續一點一滴的尋找「自己的步調」，除此之外別無他法。

再怎麼不擅長運動的人，只要每天慢跑，肺活量自然會漸漸增加。我想大家都能認同，剛開始練跑步的人，完全不需要設定「跑馬拉松比賽並得名」這種不切實際的目標，而是要設定一個適合自己程度的目標，例如「每天跑三十分鐘」。如果三十分鐘有困難，從十五分鐘開始就好；如果完全不能接受跑步，就改成快走或步行。重點在於，讓身心適應後，再逐漸增加時間或強度。

成長也是如此，不管學什麼東西，都不會是一條完全平滑的上升曲線，它會上下反覆小幅振盪，但以緩慢的階梯式向上。同樣再以跑步為例，不管是從十五分鐘變成跑三十分

鐘，還是從三十分鐘進階到五十分鐘，中間一定有碰到瓶頸反而退步、或達不到預期目標的日子，即使已經堅持一段時間，停滯期的天數仍有可能比進步期多。

不和他人比較、不考慮競爭結果，甚至暫時忘卻遠方的目標，只按照自己的步調做今天該做的事時，反而能得到更多益處。在不知不覺養成新習慣後，回頭看見自己產生的變化，不禁驚呼：「咦，我什麼時候變成這樣了？」那時，才是真正的成長。

發掘每一天都在進化的自己

我們已經太習慣凡事比較了，以他人的成果作為自己設定目標的動力，幾乎變成多數人的本能，因此，如果一定要與某個人、某個標準進行比較，建議就把「自己」當成競爭的對象吧！將自己與昨天、一周前或一年前的自己進行比較，你一定能找出一個比昨天的自己更有趣、更長進的部分，大方的肯定這些進步，再開始全新的一天，就算是芝麻小事也無妨。

例如，直到昨天為止，我還是以彎腰駝背的姿勢長時間打電腦；但今天我開始使用桌上層架，將電腦螢幕的視線高度提

高，如此一來就不用低頭打字，後頸部也感覺舒服許多！今天的我，抬著頭工作，連帶也讓肩膀舒展開來，姿勢變得端正，因為身體的感受對了，工作起來更有效率。我不是為了參加「端正姿勢寫作比賽」才改變，所以毫無壓力，只要比昨天好一些，就能夠感到充實與滿足。

我們可以用心理學「後設認知」的概念來思考，跳脫出來，想像以「上帝視角」來觀察自己的變化，更全面、客觀的去看待每一天的成長，這也是一種內省的能力。今天早上的你，試著回想一下昨天或一年前的自己，比較之後會發現，自己在許多方面與以往截然不同，不要吝於給更成熟的自己鼓勵，帶著「我在變好」的心情出門吧！

Day 27 今天的一分鐘原子目標

第一步

忘掉他人，他們和你不相干！要比，就拿現在的自己和「去年的自己」相比。

第二步

如果有任何進步或變化，請具體寫在紙上，再小的事都好，不用害羞。

第三步

在開始新的一天之前，為變得更加成熟的自己鼓掌。

準備一句暖心的話，
對某人說出口

志工的體驗：祈願狗狗們未來能幸福

　　最近我去擔任志工獸醫，任務是幫從非法繁殖場救出的小狗做絕育手術，一共有一百多隻毛小孩需要進行手術。我加入麻醉恢復組，負責接手做完手術的狗狗，照顧牠們直到從麻醉中清醒。

　　每隻狗狗狀況不同，從麻藥消退到完全恢復的時間有長有短，短則十分鐘，長則六小時不等，在小狗醒來之前，我

們會注射止痛劑和喚醒麻醉的藥物，監測牠們的心率、呼吸頻率和體溫，也要對心率下降的犬隻注射緊急藥物。手術後的狗狗不能躺在診療台上，因為牠們醒來時可能會掙扎造成危險，我們必須在地上鋪好寵物墊，讓牠們躺在上面。

於是我們這組獸醫整天都得蹲在地上照顧狗狗，像鴨子一樣，蹲著走來走去。那一天，工作時間從早上九點半到晚上九點，中間除了上廁所和大約十五分鐘的用餐時間之外，完全沒有休息的空檔。我可以拍胸脯說，這絕對是我這輩子做過最劇烈的體力活！

超過十個小時無法伸展的膝蓋和腰部痠痛無比，大約到了傍晚，我真覺得自己快撐不住了，開始認真思考是否應該找個理由逃離現場，這個任務耗費的體力、疲勞的程度，遠遠超越平常在動物醫院的工作。我當時想，如果要在領薪水的公司天天做這麼辛苦的工作，我可能會罵對方一頓之後立刻辭職走人。

但是每年都有無數自願來當志工的醫師，大家毫無怨言、默默完成各自負責的工作，所有人的動機只有一個：希望這些母狗不用再被迫繁衍被寵物店拿去銷售的幼犬，能找到有緣的家庭，從今以後只需要當一個受人疼愛的家庭成員，展開全新的「狗生」。

微妙的人心：不收錢，更樂意！

為什麼大家不收一毛錢，卻擁有相同的心態？矛盾的是，或許正是因為所有人都沒有收取任何金錢報酬，所以才擁有同樣的心態。當工作的出發點純粹來自於自發性的動機，而不是收到指令或為了賺錢，工作本身就成為一種心情上的享受，能帶來其他事無法比擬的成就感。在《動機，單純的力量》(注) 一書中，提到了以下這段內容：

「獎勵使有趣的工作變成了死板乏味的例行公事，使遊戲變成了工作。獎勵降低了內在動機，績效、創造力，再高尚的行為都像骨牌一樣一一被擊潰。」

根據作者丹尼爾・品克（Daniel Pink）的論點，原本喜歡做的事情一旦變成「為了獲得回報」而做，反而會讓人不太想做，最後變質為迫不得已只好去做的事。這項主張推翻了人們傳統上熟知的「胡蘿蔔加棍子」理論。

注｜《動機，單純的力量》（Drive: The Surprising Truth About What Motivates Us）丹尼爾・品克著，席玉蘋譯，大塊文化出版，2010。

我對作者的論點很能產生共鳴。我也很討厭別人指使我做事，而現在的我也正做著自己想做的事，按照自己的意願生活。

學習也是如此，當我們學自己想學的東西時，過程其實很有趣，但若是有人鞭策我們去做，學習就不好玩了。

我念大學時的成績不算很理想，對考試感到很吃力，然而，在成為獸醫之後，我反而很喜歡自己找資源自學深造。白天看診如果遇到疑問，下班後會自願留在醫院找資料研究，或閱讀論文直到深夜。大學時很討厭考試的我，在出社會後，竟然開了一個以學習為主題的 YouTube 頻道，還透過線上課程分享學習的心得。

現在回過頭看，為了考試而讀書一點也不有趣，因為無論我的興趣或動機如何，都必須在教授指定的日期內學習限定的範圍，受制於成績等外在動機，我別無選擇不得不唸書。但是從好奇心出發的學習不一樣，讓人興致盎然，只要有點心得就感到無窮樂趣，有一種突然頓悟的爽快感。這正是丹尼爾・品克所說的外在動機和內在動機的差別。

梨泰院事件的祈福：來自陌生人的溫暖

二〇二二年十月二十九日首爾的梨泰院發生事故，造成一百五十九人死亡，震驚全國，驚愕不已的我也參加了追悼祈福活動。守夜從晚上十點開始，一直持續到清晨六點。現場為一百五十九位罹難者準備了一百五十九支蠟燭，參加祈禱的人們輪流獻茶、點亮燭火、默哀悼念，直到每一支蠟燭全被點燃，全程花了八個小時。

在過程中，我們以打坐的姿勢祈禱、冥想，但只坐了三十分鐘，我就覺得腿麻、腰快痛死了。祈禱快結束時，我再次走到檯前點蠟燭，突然覺得蠟燭多到令人心痛，我只是這樣坐一陣子，兩腿就發麻到快要瘋掉，卻有這麼多人因為踩踏、推擠而離開人世，他們的家屬會多麼傷心！

想到這裡，眼眶裡的淚水忍不住潰堤。我回到座位上屏住呼吸，無聲哭泣，坐在身邊的陌生人安靜的走了出去，回來時默默的遞給我面紙。雖然只是一張面紙，但那一刻我的心感受到無限的溫暖與安慰。

世事雖然如此坎坷，有太多無法理解的悲劇不斷發生，但能夠安慰人的，終究是他人慷慨送出的溫暖。那位陌生人肯定不是「受人指使」來到現場，而是自願坐在這裡，甚至

甘心樂意向我傳遞出溫暖。

不花一分錢就能帶來成就感

想想看，你目前所做的事情中，哪些是出於自發性的動機呢？做哪些事並不是因為有物質上的獎勵或外在壓力，而是純粹發自於內心？對某些人來說可能是學習，對某些人來說可能是自己的工作，對某些人來說可能是照顧家人。

我強力推薦大家做一件事，這件事非常簡單，即使沒有物質獎勵做為誘因，你還是能收穫充盈的成就感，那就是我們在 Day10 提到的「助人」。而且，不需要做出多麼偉大的幫忙，更不是要你捐大筆金錢去救助別人，有時候幫了太大的忙，反而會造成對方的心理壓力，感覺欠了一筆人情債。我說的幫助人，是看似舉手之勞但能讓兩方都心暖暖的小事。

例如我們搭地鐵時，幫不認識的人將很重的大行李箱一齊搬上樓梯；或是在公司時幫同事或打掃阿姨更換飲水機的補充水桶；又或者是在倒垃圾時順手把地上礙眼的垃圾也一起扔掉，讓環境舒服。如果沒有機會做到以上這些事，**那就對今天碰到的某一個人，由衷說句暖心的話吧！**

只是我們也要提醒自己，千萬不要指望藉由幫助他人來

彰顯自己，也不是為了親切而親切，說出口是心非的話。

　　我常自己想一想，隨時準備好一句溫暖人心的話語，說出口的對象可能是朋友、家人、公司同事、商店老闆，或甚至是陌生人。當我們對他人說出一句溫暖的話，也代表你也會聽見「同一句話」，這份溫暖的氣息也會蔓延回到自己身上，讓自己一整天自帶暖心的好能量。

Day 28 今天的一分鐘原子目標

第一步

早晨一醒來，就開始想想今天要對他人說出口的
「那句溫暖的話」。即使是瑣碎的小事也無妨。例如：
「○○，謝謝你在這裡支持我。」
「今天一整天的工作因為你而能圓滿達成，真是謝
謝你。」

第二步

找到適合的時機「送出」這句話，並仔細感受回饋
到自己身上的感受。

建立並落實自己專屬的
原子目標清單

　　今天不談我的經驗與建議，而是想聽聽閱讀本書的你，說一個專屬於自己的一分鐘好習慣，或者本日預期完成的小目標。

　　每個人都有屬於自己的世界和小宇宙，都有自己的故事，其中充滿著自己才能體會的血、淚、汗與歡笑。如果地球上有八十億人，就有八十億個獨一無二的故事。

　　起床後是「**自我暗示**」的最佳時間點，今天，請你先構思一個最適合自己的小目標，並且付諸行動。

　　不要在意他人異樣的眼光或批評，只要想著：「這是一件讓我快樂、**讓我想繼續好好活下去的小事**，別人怎麼說都跟我無關。」

　　這一件小事，因為是你發自內心想做的、能樂在其中的，讓你的起床時光變得更有品質，心情定錨了，就能幫大腦提升自我效能感。

　　千里之行始於足下，透過每日的小計畫去改造潛意識，漸漸的，你能幫自己找回朝氣，也有活力去做更多有趣的事情，不必咬牙苦撐，每天都能帶著微笑起床呢！

Day 29 今天的一分鐘原子目標

第一步

建立一個不屬於他人、且真實反映自己個性的本日
小目標。

第二步

早晨一醒來就試著做做看，並告訴自己：這是世界
上獨一無二的、你為自己打造的「迷你成就」。

第三步

為自己的創造力感到自豪，昂首闊步，帶著微笑開
始新的一天。

恭喜自己！
給「內在小孩」一個讚

大肆慶祝，小事就變成大事

　　恭喜你！你已經閱讀到本書的最後篇章了。也許有些人堅持了三十天，每天持續實踐一個小目標；有些人則是選擇性做到某些部分，其他部分暫且先跳過；或者，有許多人是在兩個月、三個月或更長的時間內慢慢達成這三十個目標。當然，一定也有人只是讀完整本書，還沒有付諸實行。

　　無論是挑選一個單一目標，在一整個月中重複去做，還

是在一個月內達成三十個不同的目標，我都非常開心也竭誠歡迎你來到本書的最後一章，現在，輪到你幫自己慶賀了。

　　我的家人在慶生時總是會準備生日蛋糕和海帶湯，大家總覺得在喜慶的日子要大肆慶祝，未來才能過得更好、運勢更旺；而且韓國人非常喜歡、甚至是迷信（笑）在生日時一定要喝海帶湯，才是有德之人。

　　快樂是非常主觀的感覺，在沒有什麼值得高興的事情時，要無端讓自己情緒高昂起來並不容易，但是放大一個小確幸所帶來的喜悅，卻相對簡單。因此，只要發生微小卻很美好的事，我都會大肆慶祝一番。

　　從學校畢業後，我換過很多次工作。和其他職業相比，獸醫的流動率算高，相對容易跳槽轉職，對我來說，辭職後再次經過面試，重新進入另一單位任職，整個過程沒有特別值得誇口之處，但我每一次都會慶祝自己換了新工作。

　　現在的我，在發薪日會去吃點美味的食物，小小慰勞自己一下；身邊的人有好事發生，我也會興高采烈的表達祝賀之意。偶爾被祝賀的人會不好意思的說：「這又不是什麼大不了的事……」我會告訴對方：「不不不，再小的事，只要大肆慶祝，就會變成一件大事！」當事人一開始可能會有點害羞，但很快的，也就開始享受這種洋溢著祝福和溫暖的氣氛。

不要吝於稱讚「內在小孩」

完美主義者很容易習慣性挑剔自己、貶低自己，心裡總是想著：「別人做得更好」、「我只是勉強如期完成」、「我只是運氣好」、「比我會賺錢的人太多了……」

乍看之下，彷彿是謙虛的自省，然而，「做得好」和「做不好」完全是概念上的問題。

我想跟大家分享的是：就算是同一件事，當自己貼上「做不好」的標籤，它就會「真的」成為一件沒處理好的事；**如果幫它貼上「做得好」的標籤，它就「真的」成為一件處理得宜的事。**

當孩子們被肯定、被告知自己做得很好時，他們會想更加努力；如果被指出做得不好，不斷被扣分、被責罵，則會灰心喪志、提不起精神。若一個人被扣分扣到谷底，他怎麼還會有能量努力向前走？別忘了，在我們的心裡也住著一個年幼的小孩，這個內在小孩需要獲得你自己的鼓舞。

無論有什麼值得慶祝的大小事，請毫無保留的稱讚自己，只要想像，自己正在呵護照顧一個心地柔軟的「孩子」，這麼一來就能真心的撫慰自己。

雖然只是達成一個小任務，但在完成自己想做的事情之

後，別忘了好好犒賞自己，例如吃美味可口的一餐，或有什麼一直想買卻捨不得買的東西，這時就是送給自己的絕佳機會！不要懷疑：「我有資格得到它嗎？」就像寫完這最後一篇文章，我會舉辦一個完稿派對來慶祝一下。

如何對待自己，自己就會成為怎樣的人。你心裡的想法，會左右那件事情的價值，好不好、有沒有意義，都取決於自己如何定義它，以及自己是否相信。

許多心理學家都不約而同強調「充分感受當下的正向情緒」，是非常非常重要的，這並不是要我們勉強自己正面積極，不是要活在自己的世界裡，而是在心情平和、滿足時充分品味那種狀態，並停留在當前的心境之中。

你不是愛秀，是真的很優秀

全書有三十個小目標，就算你只嘗試了其中一個，但只要感受到自己有一點點的改變，那麼請大方恭喜自己，並告訴身邊的人、分享這份愉悅。值得好好享受時，就讓自己盡情享受吧！因為享受其中，你的心境驅動你的能力，能自帶更多好事發生！

我能了解，一定有人會懷疑，到處炫耀發生在自己身上

的好事會不會被討厭？是不是要刻意低調？很簡單，人心是互相聯動的，我們不想因為自己一帆風順而被別人酸言酸語，不想被說「愛現、只是運氣好」，那我們在看到他人做得好的時候，也多多發自內心鼓勵對方、恭喜對方。

願意大方為他人喝采的人，當自己獲得掌聲時，也才能夠真心接收並感謝來自他人的祝福。在別人順利時不眼紅對方的成就，身邊就會有同樣不嫉妒自己成功的朋友。

今天在開始新的一天時，請先好好恭喜自己完成了這三十天的晨間小目標，這代表你真的很棒，能用這三十天觀察自己、覺察內心、撫慰內在小孩，進而創造改變，這也代表未來你一定有能力、有信心去實現任何目標。

Day 30 今天的一分鐘原子目標

第一步

早上醒來後，對自己說：「○○，你是一個只要下定決心就能做到的人！你很優秀。」

第二步

今天送給自己一份小小的禮物，或招待自己享用之前很想去吃的美食。

第三步

拍下幫自己慶祝的照片，把這個小確幸與親人或朋友分享。

‖作者的話‖

只要改變能量的方向，就能改變日常生活

我是那種大家眼中「別人都這麼做，為什麼唯獨你與眾不同」當中的那個「你」。別人做起來輕而易舉的事，我做起來卻痛苦到炸裂，因此我必須想盡辦法找到一種生存之道，這本書就是我自己一路掙扎奮鬥的過程。

即使某一條路明明不適合自己，做起來非常辛苦，卻因為來自四面八方「妳是大人、上班族都這樣、每一個人都做得到、社會本來就是殘酷的、妳要成熟點……」等勸誡，只好強忍著淚水或疲憊的心堅持下去。

然而我問自己：「我也需要賺錢生活，但有沒有辦法讓它變得更有趣呢？有沒有辦法跟別人不一樣的同時，我也能得到想要的？」在摸索各種方法後，我的生活開始一點一點的改變——

我不是把能量用來堅持，而是把能量用來改變。只是改變了能量的方向，日常生活卻發生了一百八十度的轉變。

如果你們當中有人因為嘗試了我所試過的各種方法，而開始看見日常生活出現微小變化，對我來說這一切都值得了！

我沒有什麼特別擅長的事，唯一與生俱來的天賦可能就是人緣不錯吧！但我也要在這裡解釋，由於書中主要談到過去格外辛苦的時期，我只提到從家人那裡感受到的「心傷」，但事實上，我從父母身上繼承了更多有錢也買不到的珍貴財產！

成長過程中，我親眼看到父母即使面對最惡劣的狀況，依舊能保持淡定，毅然挺過一切風雨。從他們兩位身上，我學會在事態不妙的情況下，也能從容的面對。我的父母向我展示了無論現實多麼殘酷不易，也要勇敢挺身走下去，對於自己想做的事永不放棄。長大後，我才明白這是多麼了不起的能力。我想藉此機會向我的父母表達由衷的感激。

比起聽別人的指令工作，我更想竭盡全力去做各種自己熱愛的事，但大家都知道，只靠「喜歡的事」謀生並不容易，所以我要特別感謝我的讀者和 YouTube 會員，讓我能夠繼續做我最喜歡的事──「創作」。我會更加努力。

2024 年 4 月   柳韓彬

第1天
對自己說出：「最想聽到媽媽對我說的話」

第2天
專注此刻，坐著冥想一分鐘

第3天
一睜開眼，對自己說五遍「這很正常」

第4天
回顧一下昨天，列出讓你感謝的三件事

第5天
打開窗，用陽光和風取代早晨第一杯咖啡

第6天
向小時候的自己，傳一則加油簡訊

第7天
關注身體的痠痛訊號，用一分鐘按摩

第8天
一日一小事，給自己一個「原子任務」

第9天
寫下喜歡的三件事和討厭的三件事

第10天
對自己承諾，今天善待不認識的人

第11天
寫字的神奇力量：請在紙上寫下一個好句子

第12天
問問自己：如果不缺錢，你想做什麼？

第13天
眺望遠處的群山，轉換宏觀視野

第14天
點燃一支線香，什麼都不做，靜靜凝視它

第15天
用蓮蓬頭淋浴，跟著水流放空或思考

第16天
挑戰大事之前，好好摺棉被是最容易成功的小事

第17天
幫心靈掃除，挑出無感的東西，清掉它！

第18天
一分鐘聆聽頌缽，跳脫慣性的陷阱

第19天
把你認為重要的事情，放在想像的山谷裡

第20天
找出恐懼的「幻形怪」：列出你最害怕的事

第21天
準備一個笑話，告訴你的同事或朋友

第22天
事先將你的笑點貼在鏡子上，刷牙前先笑一個！

第23天
想像一顆氣球，把最困難的事情掛上去讓它飛走

第24天
對自己說五次，「○○，我相信你」

第25天
張開雙臂跳躍，直到氣喘吁吁

第26天
找出每日堅持做的事，告訴自己很了不起！

第27天
比較今天的我和一年前的我

第28天
準備一句暖心的話，對某人說出口

第29天
建立並落實自己專屬的原子目標清單

第30天
恭喜自己！給「內在小孩」一個讚

原子目標

早上1分鐘，改變一整年！斜槓獸醫的30天潛意識改造計畫

One minute in the morning, one small habit

作者	柳韓彬（Ryu Hanbin）
譯者	張亞薇
封面設計	Bianco Tsai
插圖	周昀叡
內頁設計	Ayen
內頁排版	周昀叡
主編	莊樹穎
行銷企劃	洪于茹、周國渝
出版者	寫樂文化有限公司
創辦人	韓嵩齡、詹仁雄
發行人兼總編輯	韓嵩齡
發行業務	蕭星貞

發行地址	106 台北市大安區光復南路202號10樓之5
電話	(02) 6617-5759
傳真	(02) 2772-2651
劃撥帳號	50281463
讀者服務信箱	soulerbook@gmail.com
總經銷	時報文化出版企業股份有限公司
公司地址	台北市和平西路三段240號5樓
電話	(02) 2306-6600

第一版第一刷 2025年1月1日
ISBN 978-626-98912-3-8
版權所有 翻印必究
裝訂錯誤或破損的書，請寄回更換
All rights reserved.

아침 1분 아주 사소한 습관 하나
by Ryu Hanbin
Copyright © 2024 by Ryu Hanbin
All rights reserved.

國家圖書館出版品預行編目 (CIP) 資料

原子目標 = One minute in the morning, one small habit /
柳韓彬著 | 張亞薇譯 | -- 第一版 -- 臺北市 |
寫樂文化有限公司 | 2025.01 | 面 | 公分
(我的檔案夾 ; 01077)
ISBN 978-626-98912-3-8(平裝)

1.CST: 自我實現 2.CST: 生活指導 3.CST: 時間管理

177.2   113019441

No part of this book may be used or reproduced in any manner whatever without written permission except in the case of brief quotations embodied in critical articles or reviews.
Original Korean edition published by Poten-up Publishing Co. Traditional Chinese character edition is published by arrangement with Poten-up Publishing Co. through BC Agency, Seoul & Japan Creative Agency, Tokyo

Morning Routine   Date :

Today's Goal

Timeline   To-Do List

        06:00   1   ☐
        07:00   2   ☐
        08:00   3   ☐
        09:00   4   ☐
        10:00   5   ☐
        11:00   6   ☐
        12:00
        13:00   Memo
        14:00
        15:00
        16:00
        17:00
        18:00
        19:00
        20:00
        21:00
        22:00
        23:00
        24:00

Morning Routine   Date :

Today's Goal

Timeline   To-Do List

06:00   1   ☐
07:00   2   ☐
08:00   3   ☐
09:00   4   ☐
10:00   5   ☐
11:00   6   ☐
12:00
13:00   Memo
14:00
15:00
16:00
17:00
18:00
19:00
20:00
21:00
22:00
23:00
24:00

Morning Routine   Date :

Today's Goal

Timeline   To-Do List

      06:00   1   ☐

      07:00   2   ☐

      08:00   3   ☐

      09:00   4   ☐

      10:00   5   ☐

      11:00   6   ☐

      12:00

      13:00   Memo

      14:00

      15:00

      16:00

      17:00

      18:00

      19:00

      20:00

      21:00

      22:00

      23:00

      24:00

Morning Routine   Date :

Today's Goal

Timeline   To-Do List

        06:00 | 1   ☐
        07:00 | 2   ☐
        08:00 | 3   ☐
        09:00 | 4   ☐
        10:00 | 5   ☐
        11:00 | 6   ☐
        12:00
        13:00   Memo
        14:00
        15:00
        16:00
        17:00
        18:00
        19:00
        20:00
        21:00
        22:00
        23:00
        24:00

Morning Routine   Date :

Today's Goal

Timeline   To-Do List

        06:00   1   ☐
        07:00   2   ☐
        08:00   3   ☐
        09:00   4   ☐
        10:00   5   ☐
        11:00   6   ☐
        12:00
        13:00   Memo
        14:00
        15:00
        16:00
        17:00
        18:00
        19:00
        20:00
        21:00
        22:00
        23:00
        24:00

Morning Routine   Date :

Today's Goal

Timeline   To-Do List

06:00	1 ☐
07:00	2 ☐
08:00	3 ☐
09:00	4 ☐
10:00	5 ☐
11:00	6 ☐
12:00	
13:00	Memo
14:00	
15:00	
16:00	
17:00	
18:00	
19:00	
20:00	
21:00	
22:00	
23:00	
24:00	

Morning Routine   Date :

Today's Goal

Timeline   To-Do List

06:00	1	☐
07:00	2	☐
08:00	3	☐
09:00	4	☐
10:00	5	☐
11:00	6	☐

12:00

13:00   Memo

14:00

15:00

16:00

17:00

18:00

19:00

20:00

21:00

22:00

23:00

24:00

Morning Routine   Date :

Today's Goal

Timeline   To-Do List

06:00	1	☐
07:00	2	☐
08:00	3	☐
09:00	4	☐
10:00	5	☐
11:00	6	☐
12:00		

13:00   Memo

14:00

15:00

16:00

17:00

18:00

19:00

20:00

21:00

22:00

23:00

24:00

Morning Routine   Date :

Today's Goal

Timeline   To-Do List

        06:00   1   ☐
        07:00   2   ☐
        08:00   3   ☐
        09:00   4   ☐
        10:00   5   ☐
        11:00   6   ☐
        12:00
        13:00   Memo
        14:00
        15:00
        16:00
        17:00
        18:00
        19:00
        20:00
        21:00
        22:00
        23:00
        24:00

Morning Routine   Date :

Today's Goal

Timeline   To-Do List

06:00   1   ☐

07:00   2   ☐

08:00   3   ☐

09:00   4   ☐

10:00   5   ☐

11:00   6   ☐

12:00

13:00   Memo

14:00

15:00

16:00

17:00

18:00

19:00

20:00

21:00

22:00

23:00

24:00

Morning Routine   Date :

Today's Goal

Timeline   To-Do List

        06:00   1   ☐
        07:00   2   ☐
        08:00   3   ☐
        09:00   4   ☐
        10:00   5   ☐
        11:00   6   ☐
        12:00
        13:00   Memo
        14:00
        15:00
        16:00
        17:00
        18:00
        19:00
        20:00
        21:00
        22:00
        23:00
        24:00

Morning Routine   Date :

Today's Goal

Timeline   To-Do List

06:00   1   .   ☐
07:00   2   ☐
08:00   3   ☐
09:00   4   ☐
10:00   5   ☐
11:00   6   ☐
12:00
13:00   Memo
14:00
15:00
16:00
17:00
18:00
19:00
20:00
21:00
22:00
23:00
24:00

Morning Routine   Date :

Today's Goal

Timeline   To-Do List

06:00   1   ☐
07:00   2   ☐
08:00   3   ☐
09:00   4   ☐
10:00   5   ☐
11:00   6   ☐
12:00
13:00   Memo
14:00
15:00
16:00
17:00
18:00
19:00
20:00
21:00
22:00
23:00
24:00

Morning Routine   Date :

Today's Goal

Timeline   To-Do List

06:00	1 ☐
07:00	2 ☐
08:00	3 ☐
09:00	4 ☐
10:00	5 ☐
11:00	6 ☐
12:00	
13:00	Memo
14:00	
15:00	
16:00	
17:00	
18:00	
19:00	
20:00	
21:00	
22:00	
23:00	
24:00	

Morning Routine

Date :

Today's Goal

Timeline

	To-Do List	
06:00	1	☐
07:00	2	☐
08:00	3	☐
09:00	4	☐
10:00	5	☐
11:00	6	☐
12:00		
13:00	Memo	
14:00		
15:00		
16:00		
17:00		
18:00		
19:00		
20:00		
21:00		
22:00		
23:00		
24:00		

Morning Routine

Date :

Today's Goal

Timeline

Time	
06:00	
07:00	
08:00	
09:00	
10:00	
11:00	
12:00	
13:00	
14:00	
15:00	
16:00	
17:00	
18:00	
19:00	
20:00	
21:00	
22:00	
23:00	
24:00	

To-Do List

1 ☐
2 ☐
3 ☐
4 ☐
5 ☐
6 ☐

Memo

Morning Routine   Date :

Today's Goal

Timeline   To-Do List

06:00   1   ☐
07:00   2   ☐
08:00   3   ☐
09:00   4   ☐
10:00   5   ☐
11:00   6   ☐
12:00
13:00   Memo
14:00
15:00
16:00
17:00
18:00
19:00
20:00
21:00
22:00
23:00
24:00

Morning Routine   Date :

Today's Goal

Timeline   To-Do List

06:00	1	☐
07:00	2	☐
08:00	3	☐
09:00	4	☐
10:00	5	☐
11:00	6	☐
12:00

13:00   Memo

14:00

15:00

16:00

17:00

18:00

19:00

20:00

21:00

22:00

23:00

24:00

Morning Routine   Date :

Today's Goal

Timeline   To-Do List

        06:00   1   ☐
        07:00   2   ☐
        08:00   3   ☐
        09:00   4   ☐
        10:00   5   ☐
        11:00   6   ☐
        12:00
        13:00   Memo
        14:00
        15:00
        16:00
        17:00
        18:00
        19:00
        20:00
        21:00
        22:00
        23:00
        24:00

Morning Routine   Date :

Today's Goal

Timeline	To-Do List

06:00   1   ☐
07:00   2   ☐
08:00   3   ☐
09:00   4   ☐
10:00   5   ☐
11:00   6   ☐
12:00
13:00   Memo
14:00
15:00
16:00
17:00
18:00
19:00
20:00
21:00
22:00
23:00
24:00

Morning Routine   Date :

Today's Goal

Timeline   To-Do List

06:00   1   ☐
07:00   2   ☐
08:00   3   ☐
09:00   4   ☐
10:00   5   ☐
11:00   6   ☐
12:00
13:00   Memo
14:00
15:00
16:00
17:00
18:00
19:00
20:00
21:00
22:00
23:00
24:00

Morning Routine   Date ：

Today's Goal

Timeline   To-Do List

06:00	1 ☐
07:00	2 ☐
08:00	3 ☐
09:00	4 ☐
10:00	5 ☐
11:00	6 ☐
12:00	
13:00	Memo
14:00	
15:00	
16:00	
17:00	
18:00	
19:00	
20:00	
21:00	
22:00	
23:00	
24:00	

Morning Routine   Date :

Today's Goal

Timeline   To-Do List

06:00	1	☐
07:00	2	☐
08:00	3	☐
09:00	4	☐
10:00	5	☐
11:00	6	☐
12:00
13:00	Memo
14:00
15:00
16:00
17:00
18:00
19:00
20:00
21:00
22:00
23:00
24:00

Morning Routine

Date :

Today's Goal

Timeline

		To-Do List	
06:00		1	☐
07:00		2	☐
08:00		3	☐
09:00		4	☐
10:00		5	☐
11:00		6	☐
12:00			
13:00			

To-Do List

Memo

Timeline continued:

14:00
15:00
16:00
17:00
18:00
19:00
20:00
21:00
22:00
23:00
24:00

Morning Routine   Date :

_____

Today's Goal

_____

Timeline   To-Do List

	06:00		1	☐
	07:00		2	☐
	08:00		3	☐
	09:00		4	☐
	10:00		5	☐
	11:00		6	☐
	12:00
	13:00	Memo
	14:00
	15:00
	16:00
	17:00
	18:00
	19:00
	20:00
	21:00
	22:00
	23:00
	24:00

Morning Routine   Date :

Today's Goal

| Timeline | To-Do List |

06:00   1   ☐
07:00   2   ☐
08:00   3   ☐
09:00   4   ☐
10:00   5   ☐
11:00   6   ☐
12:00
13:00   Memo
14:00
15:00
16:00
17:00
18:00
19:00
20:00
21:00
22:00
23:00
24:00

Morning Routine   Date :

Today's Goal

Timeline   To-Do List

06:00	1	☐
07:00	2	☐
08:00	3	☐
09:00	4	☐
10:00	5	☐
11:00	6	☐

12:00

13:00   Memo

14:00

15:00

16:00

17:00

18:00

19:00

20:00

21:00

22:00

23:00

24:00

Morning Routine   Date :

Today's Goal

Timeline   To-Do List

06:00   1 ☐

07:00   2 ☐

08:00   3 ☐

09:00   4 ☐

10:00   5 ☐

11:00   6 ☐

12:00

13:00   Memo

14:00

15:00

16:00

17:00

18:00

19:00

20:00

21:00

22:00

23:00

24:00

Morning Routine   Date :

Today's Goal

Timeline   To-Do List

06:00   1   ☐
07:00   2   ☐
08:00   3   ☐
09:00   4   ☐
10:00   5   ☐
11:00   6   ☐
12:00
13:00   Memo
14:00
15:00
16:00
17:00
18:00
19:00
20:00
21:00
22:00
23:00
24:00

Morning Routine   Date：

Today's Goal

Timeline   To-Do List

06:00   1   ☐
07:00   2   ☐
08:00   3   ☐
09:00   4   ☐
10:00   5   ☐
11:00   6   ☐
12:00
13:00   Memo
14:00
15:00
16:00
17:00
18:00
19:00
20:00
21:00
22:00
23:00
24:00

Morning Routine   Date :

Today's Goal

Timeline   To-Do List

        06:00   1   ☐
        07:00   2   ☐
        08:00   3   ☐
        09:00   4   ☐
        10:00   5   ☐
        11:00   6   ☐
        12:00
        13:00   Memo
        14:00
        15:00
        16:00
        17:00
        18:00
        19:00
        20:00
        21:00
        22:00
        23:00
        24:00

Morning Routine   Date :

Today's Goal

Timeline   To-Do List

06:00   1   ☐
07:00   2   ☐
08:00   3   ☐
09:00   4   ☐
10:00   5   ☐
11:00   6   ☐
12:00
13:00   Memo
14:00
15:00
16:00
17:00
18:00
19:00
20:00
21:00
22:00
23:00
24:00